中國美術全集

墓葬及其他雕塑一

全國百佳圖書出版單位

時代出版傳媒股份有限公司

黃 山 書 社

☆ 國家出版基金項目

圖書在版編目（CIP）數據

中國美術全集·墓葬及其他雕塑/金維諾總主編；楊泓卷主編.—合肥：黃山書社，2010.6

ISBN 978-7-5461-1366-1

I.①中… II.①金… ②楊… III.①美術—作品綜合集—中國—古代②雕塑—中國—古代—圖集 IV.①J121 ②K879.32

中國版本圖書館CIP數據核字（2010）第111992號

中國美術全集·墓葬及其他雕塑

總 主 編：金維諾	卷主編：楊　泓	責任印製：李曉明
責任編輯：宋啓發	封面設計：蠹魚閣	責任校對：汪國梁

出版發行：時代出版傳媒股份有限公司(http://www.press-mart.com)

　　　　　黃山書社(http://www.hsbook.cn)

　　　　（合肥市翡翠路1118號出版傳媒廣場7層　郵編：230071　電話：3533762）

經　　銷：新華書店

印　　刷：北京雅昌彩色印刷有限公司

開本：889×1194　1/16　　印張：38.25　　字數：109千字　　圖片：916幅
版次：2010年12月第1版　　印次：2010年12月第1次印刷
書號：ISBN 978-7-5461-1366-1　　　　　　　定價：1200圓（全二册）

《中國美術全集》編纂委員會

凡 例

一、编 排

1.本書所選作品範圍爲中國人創作的、反映中國文化的美術品，也收録了少量外國人創作的，在中外文化交流史上具有代表性的美術品，如唐代外來金銀器、清代傳教士郎世寧的繪畫作品等。

2.根據美術品的表現形式和質地，共分爲二十餘類，合爲卷軸畫、殿堂壁畫、墓室壁畫、石窟寺壁畫、畫像石畫像磚、年畫、岩畫版畫、竹木骨牙角雕珐琅器、石窟寺雕塑、宗教雕塑、墓葬及其他雕塑、書法、篆刻、青銅器、陶瓷器、漆器家具、玉器、金銀器玻璃器、紡織品、建築等二十卷，五十册。另有總目録一册。

3.各卷前均有綜述性的序言，使讀者對相應類别美術品的起源、發展、鼎盛和衰落過程有一個較爲全面、宏觀的瞭解。

4.作品按時代先後排列。卷軸畫、書法和篆刻卷中的署名作品，按作者生年先後排列，佚名的一律置于同時期署名作品之後。摹本所放位置隨原作時間。

5.一些作品可以歸屬不同的分類，需要根據其特點、規模等情况有所取捨和側重，一般不重複收録。如雕塑卷中不收録玉器、金銀器、瓷器。當然，青銅器、陶器中有少數作品，歷來被視爲古代雕塑中的精品（如青銅器中的象尊、陶器中的人形罐等），則酌予兼收。

6.爲便于讀者瞭解大型美術品的全貌，墓室壁畫、紡織品等類别中部分作品增加了反映全貌或局部的示意圖。

二、時間問題

7.所選美術品的時間跨度爲新石器時代至公元1911年清王朝滅亡（建築類適當下延）。

8.遼、北宋、西夏、金、南宋等幾個政權的存在時間有相互重叠的情况，排列順序依各政權建國時間的先後。

9.新疆、西藏、雲南等邊疆地區的美術品，不能確知所屬王朝的（如新疆早期石窟寺），以公元紀年表示，可以確知其所屬王朝（如麴氏高昌、回鶻高昌、南詔國、大理國、高句麗、渤海國等）的，則將其列入相應的時間段中。

10.對于存在時間很短的過渡性政權，如新莽、南明、太平天國等，其間産生的作品亦列入相應的時間段中，政權名作爲作品時間注明。

11.某些政權（如先周、蒙古汗國、後金等）建國前的本民族作品，則按時間先後置于所立國作品序列中，如蒙古汗國的美術品放在元朝。

三、圖版説明

12.文字采用規範的繁體字。

13.對所選美術作品一般祇作客觀性的介紹，不作主觀性較强的評述。

14.所介紹内容包括所屬年代、外觀尺寸、形制特徵、内容簡介、現藏地等項，出土的作品儘量注明出土地點。由于資料缺乏或難以考索，部分作品的上述各項無法全部注明，則暫付闕如，以待知者。

四、目録及附録

15.爲了方便讀者查閱，目録與索引合并排印，在每一行中依次提供頁碼、作品名稱、所屬時間、出土發現地/作者、現藏地等信息。

16.爲體現美術作品發展的時空概念，每卷附有時代年表，個別卷附有分布圖，如石窟寺分布圖、墓室壁畫分布圖等。

五、其　他

17.古代地名一般附注對應的當代地名。當代地名的録入，以中華人民共和國國務院批準的2008年底全國縣級以上行政區劃爲依據。

18.古代作者生卒年、籍貫、履歷等情況，或有不同的説法，本書擇善而從，不作考辨。

中國美術全集總目

總目録

卷軸畫

石窟寺壁畫

殿堂壁畫

墓室壁畫

岩畫　版畫

年畫

畫像石　畫像磚

書法

篆刻

石窟寺雕塑

宗教雕塑

墓葬及其他雕塑

青銅器

陶瓷器

玉器

漆器　家具

金銀器　玻璃器

竹木骨牙角雕　珐琅器

紡織品

建築

中國古代雕塑

　　中國古代雕塑，歷史悠久，顯示着獨特的民族文化傳統，具有時代特色和地域特色。與歷史上其他地域的古代文明不同，例如不像沿地中海周邊諸古代民族建築以石造爲主，并有着内容豐富的大型石雕藝術品，中國古代使用的建築材料，主要是木材和取自大地母親的泥土，而中國遠古的雕塑品，首先也是取材于大地母親的泥土。史前的藝術家用以塑造可能是象徵大地母親的"女神"形象時，也常用泥土塑形後經火焙燒而成，例如在遼寧紅山文化遺址"神廟"所出土的"神像"，都是陶像。中國古代"創世紀"神話中始祖神女媧用以造出人類的原料也是泥土。據古史傳説，當盤古開天辟地以後，中華大地上并没有人類存在，後來神人女媧按她自己的形貌，以黄土塑成泥像，并給這泥像以生命，製造出中國最早的人。女媧不斷捏塑，地上的人越來越多，但是她還不滿足，索性用繩索在泥水中掄動，隨即掄出更多的泥人。他們獲得生命以後，繁衍生息，終于遍布中華大地。女媧以泥造人與西方上帝用自己的肋骨造出人類始祖的創世紀神話完全不同，也可以反映出遠古人們製作人形陶像習以爲常，才有可能創造出女媧以泥土造成人類的美麗神話。

　　中國遠古陶塑藝術品出現的時期，大約與遠古人類懂得燒造陶器的時間同樣久遠。目前所知在黄河流域、長江流域、遼河流域的衆多新石器時代考古文化遺址中，都發現過史前時期的陶塑藝術品。從河南密縣莪溝北崗獲得的一件灰陶小人頭塑像，其時代約距今7200年前，可算是時代較早的作品①。河北易縣北福地遺址出土的幾乎與真人面部同大的陶刻面具，五官具備，雙目鏤孔，邊緣還有可供穿繫的小孔，也屬于年代較早的作品②。河南新鄭裴李崗遺址出土的陶塑豬頭和羊頭，可能是時代較早的動物造型作品③。但是這些時代較早的史前陶塑，製作拙稚，都僅僅具有粗略輪廓而已。稍後在陝西境内諸多處仰韶文化遺址的發掘中，不斷獲得陶塑作品，有人像，也有動物造型的作品。常被人提及的如寶雞北首嶺遺址出土的紅陶人頭像，口部和雙目鏤孔，還穿有鼻孔和耳孔，兩眉、耳輪和口唇還塗飾黑彩④。動物造型的作品，以華縣出土的黑陶鴞鼎最精工而優美，它出土于一座生前在原始氏族中有特殊地位的成年婦女的墳墓之中，似乎并不是一件尋常的藝術品，或許與母系氏族社會中權威的象徵有關⑤。同樣描述鴞的形貌的陶塑品，在華縣還出土有一件頗爲生動的陶鴞頭像⑥。在南方的一些史前時期遺址中，也常發現陶塑動物，例如浙江河姆渡遺址出土的陶豬，雖然塑工拙稚，但長吻垂腹的形貌，却能顯示出豬的形體特徵。更多的陶塑動物被發現于湖北天門石河鎮的史前遺址群中，僅在石河鎮鄧家灣遺址的一座灰坑中，就埋藏有數千件體長僅6-10厘米的小型陶塑⑦，造型多達十幾種，有獸有鳥還有人物，包括猪、犬、羊、虎、象、龜、鷄和鳥，還有抱着大魚的人。因爲形體纖小，祇注重大輪廓的塑造，缺乏細部刻畫，但能够表現出不同動物活動中的形態，已達傳神的境界。當時史前先民爲什麽要塑製這樣數量衆多的小型陶塑？目前還難有確切的答案，不過推測或許與原始的宗教信仰有關。陝西扶風案板遺址發現的許多小型陶塑人像，有男像也有女性特徵明顯的裸體女像⑧，其中有些發現于一座仰韶文化晚期的結構特殊的大型建築基址近旁，也被認爲或許與原始宗教有關⑨。更爲明顯的例子，還是前面已經提過的紅山文化遺址出土的裸體女性陶像。遼寧喀左東山嘴遺址出土的兩件，都是立姿并且把左臂橫置胸前，而且同時缺失了頭、右臂及雙足，似是故意造成的殘缺。她們全身赤裸，凸腹豐臀，兩腿稍向前彎曲，腹襠刻出性器官的特徵，人體比例準確，將人體肌肉的各種球面或塊面處理得簡練協調，生動地塑造出懷孕的母親的形貌，通常認爲她們是象徵豐饒的“地母”神。除了這兩件小型女像外，還出土有許多形體相當大的陶像的殘塊，可以看到手、臂、腹、腿、足等部位，都作赤裸狀，表明那裏原來曾存在有多尊大約相當半人高的裸體陶像，或許當年是一處進行原始的宗教活動的“神廟”⑩。在牛河梁發掘的另一座紅山文化“神廟”遺址中，出土了數量更多的陶像殘塊，其中有的原像體高可能是人體的三倍，更多的像與人體等高，都是裸體女像⑪。還發現了一件基本完好的彩塑頭像，眼窩裏嵌有玉片⑫。類似的與企望豐產的巫術有關的陶塑品，在西北地區的史前遺址中，則經常表現爲將鼓腹的陶製容器與人體相結合的形式，將壺、罐、瓶類陶容器的口部塑成女性的頭部，而將器物隆鼓的腹部比擬爲懷孕的肚腹⑬。上述考古發現表明，史前人們所製作的人物或動物造型的陶塑作品，首先并不是供人們欣賞的藝術品，而常常是與史前人們的原始宗教信仰，特別是祈望豐產的巫術有關的宗教偶像。

史前時期留下的雕塑品，除陶雕以外，也有一些石刻作品，如一些小型的人物雕像。同時出于對“美石”的喜好，史前人們逐漸認識玉的珍貴。先是出現了小型的玉雕裝飾品，較早的標本如内蒙古興隆窪文化的玉玦，後來也有一些形體較大的可能與原始宗教信仰有關的玉雕作品，例如内蒙古翁牛特旗三星他拉村出土的紅山文化墨綠色玉龍⑭。安徽含山凌家灘出土的玉龜⑮，就可能是巫術中占卜的用具。

到夏、商、周三代，中國古代文明從石器時代進入青銅時代，青銅鑄造的禮器，在重要的祭祀和宗教活動中，早已取代了陶器的位置，其中有些禮器選取動物造型，主要是尊類酒器，有些也可以視爲青銅雕塑藝術品。這種動物造型的青銅禮器，大致有兩類，一類是具體模寫現實的鳥獸，以它們的身體作爲尊體，通常將尊口開在鳥獸的背部，其中有的遵循着商周青銅器的習慣作法，在鳥獸軀體表面滿飾各種圖案花紋，例如殷墟婦好墓出土的鴞尊⑯；也有的通身平素，形體更加寫實肖形，例如傳世的商代小臣艅尊，活畫出一頭佇立的犀牛，還有陝西郿縣李村出土的西周駒尊⑰，生動地模擬出一頭馬駒的形貌。還有的采取由幾個動物共托尊口的造型，最著名的一件作品就是國家博物館藏的四羊方尊。另一類則采用虛構的動物造型，呈現出各種富于幻想的奇異形象。陝西長安張家坡西周井叔墓出土的中犧尊⑱是典型的代表，總體似牛，但頭生龍角和豎立的耳朵，身附雙翼，尊體還附飾一虎、一鳳和兩條龍。除了動物造型以外，也有人獸結合的造型，例如傳世的"猛虎食人"卣。在中原地區目前還沒有發現過大型的青銅人像，但是在偏遠的西南蜀地，却出土有商周時期的大型青銅人像，有巨大的雙目凸起的銅面具，還有全高達202厘米的巨大青銅立姿人像，身穿飾雲雷紋的長衣，赤足并帶有脚鐲，立于高座之上，很可能是當時有權勢的人物或巫師⑲。他們是目前所知中國古代最早的青銅人像雕塑作品，彌補了中國古代早期缺乏大型人像造型藝術品的缺憾。

史前時期流行的玉石雕刻和陶塑，商周時期也有發現。在安陽殷墟發掘中，1001號大墓出土有體高超過30厘米的大理石雕的虎首人身坐像和石梟形立雕。婦好墓也出土有長25厘米的大理石雕卧牛，牛的下頜還刻有"司辛"銘文，另一件大理石雕鷫鷞體長40厘米。立梟和鷫鷞背後都有立槽，很有可能是建築中立柱的裝飾品。它們已是當時形體較大的石雕藝術品了。更多的是小型的玉石雕刻，僅在婦好墓中就出土玉器七百多件，除了禮器和服飾用玉以外，大量是玉雕動物，題材廣泛，包容了飛禽走獸、水族和草蟲，還有一些神話中的動物，諸如熊、象、虎、猴、兔、馬、牛、羊、鶴、鷹、鴞、鷫鷞、鸚鵡、魚、蛙、鱉、螳螂，以及鳳、龍和怪鳥等，還有一些人像⑳。在殷墟還出土過利用石料上的不同色彩雕成的"俏色"玉石雕刻作品，有玉鱉和石虎㉑。這些玉雕顯示出當時對玉料的選擇、開料和琢磨技術已具有相當高的水平，并進一步掌握了鑽孔、細磨、拋光等工藝，雕出的小型作品更具有藝術性和觀賞價值。

殷周時期的陶塑作品，與史前時期多與原始巫術有關不同，類似"地母"神那些裸體女像已經銷聲匿迹。在安陽殷墟的一個灰坑（小屯358號）中曾出土了一些小型立姿陶人像，體高15厘米左右，男女都有，女像的雙手被械梏在胸前，男像則雙手反剪械梏在背後，常常被認爲是被捆綁着的奴隸的形象，也有人把他們稱爲中國最早的"陶俑"。提到古代墓葬中的陶俑，自然會聯想起孔子對"俑"的評論。《孟子·梁惠王上》："仲尼曰：'始作俑者，其無後乎？'爲其象人而用之也。"所以通常將孔子生活的東周時期，視爲俑（替代殉葬的真人）的偶人産生的年代。但是在早于東周的西周時期的墓葬中，也發現過偶人，例如陝西韓城梁帶村西周墓地發掘中，在M502號墓內墓室四角各有一個木製偶人，體高最高的超過1米，頭上雕刻出五官，以榫卯接裝四肢，面、頸、手塗淺紅色，頭髮黑色，衣服塗紅色，還在領口和襟口塗黑色，形貌可分男女，作御車或作捧物狀，被認爲是時代最早的一組木俑[22]。到東周時期，各地的諸侯國墓葬中普遍存在以俑隨葬的習俗，而且各國用俑的質地和造型還都有較大差異，有時俑還和隨葬的真人出現于同一墓中。春秋晚期晋墓出土有僅修出輪廓的木俑。戰國時期，齊俑都是形體小的繪彩泥俑，韓俑是小型的陶俑，秦俑形體稍大，也是繪彩泥俑，藝術水平最高的是楚的木俑，其中有的用繪彩的方法表現眉目衣服，有的祇削出體形，外面穿上絲織品的衣服，頗爲精美[23]。

中國古文明繼續向前發展，青銅時代很快就讓位于鐵器時代。鋼鐵工具的發明和廣泛應用，客觀上提供了從事石材精細加工的有利條件，不過囿于中華文化傳統等諸多因素，除了小巧的玉石雕刻以外，仍舊沒有産生大型石雕藝術品。公元前221年，秦王嬴政掃滅齊、楚、燕、韓、趙、魏六國，一統天下，自命爲“始皇帝”，開創了統一的中央集權的帝國，揭開了中國歷史的新篇章。迎合秦始皇好大喜功的追求，當時在宮廷和陵墓中都放置有形體碩大的青銅鑄造的或陶塑木雕的造型藝術品。據《史記·秦始皇本紀》記載，秦始皇曾下令將繳獲的六國軍隊裝備的青銅兵器集中到都城咸陽，銷熔以後鑄造成十二個大“金人”，每個重千石（又有的文獻記爲各重三十四萬斤或是二十四萬斤）[24]，陳放在宮室前面作鐘鐻。可惜這些銅人到十六國時期就全被銷毁了，至今無法知其原貌。祇有在秦始皇陵園的考古發掘中，獲知了許多專爲秦朝皇帝陵墓製作的陶塑或青銅鑄造的工藝品。秦始皇陵園出土的青銅工藝品，雖然沒有宮室前陳放的“金人”那樣雄偉壯觀，但是更爲工細精美，已經發現的有兩乘約爲實物二分之一大小的由四匹駿馬服駕的馬車[25]，還有一組青銅鑄造的水禽。水禽有鶴、雁、天鵝等，是寫實的藝術品，形體大約與真實的禽鳥同等大小，頗顯生動傳神[26]。更多的發現是專爲隨葬製作的陶俑，模擬的人物有文吏、武官、士兵和雜技表演者。特別是在陵園東側發現的幾座大型陶兵馬俑坑中，埋藏了幾千件和真人真馬形體相同大小的陶俑和陶馬，擺列成宏偉的軍陣[27]。這一考古發現，曾經在中外學術界引起了轟動。秦始皇陵的陶俑，確是中國古代陶塑人像的空前創作。由于創作這些人像的目的不是爲了觀賞，而是用于代替活的人馬，用以模擬皇帝的侍僕及排列成送葬的軍陣，所以將俑製作得與真人活馬同大，其面容髮髻鬍鬚以及衣服鎧甲，還有馬具和木車，無不盡力如實模擬製作[28]。一般立像加上底托高近1.8米，由于形體高大，難于整模塑型，祇有采取按身體不同部位分別製作，再套接、粘合成整體。接合時采取自下而上逐步叠塑的辦法，人形大輪廓完成以後，再貼塑刻劃細部，特別是面部造型。待焙燒以後，再施彩繪，雖然色彩多已脫落，但陶俑出土時有的還保留有彩繪遺痕，也有的色彩尚貼附于俑旁泥土之上，由此可知秦俑使用的色彩有朱紅、棗紅、粉紅、粉綠、粉紫、粉藍、中黃、橘黃、白、黑、赭等色，其中又以朱紅、粉紅、粉綠、粉藍和赭等五種色彩使用最多。經過化驗，使用的都是礦物質顏料，以明膠作爲調和劑，濃色平塗于俑體之上。陶馬敷彩方法與陶俑相同，2號俑坑中騎兵的鞍馬身塗棗紅色，黑鬃，白蹄。由于秦陶俑并不是爲了欣賞的美術品，其目的僅用以替代喪葬儀製中的真人，因此從形貌、身材到服飾、髮式，幾乎都是按活人實物原貌、原尺寸複製模擬，毫無提煉、概括、誇張、想象等再創作可言，亦不重視體姿的生動，祇求如實模擬而已。因此絕大多數采取僵直呆板的立姿，少數采取跨步或半蹲跪的姿態以及雙手撫膝的端正坐姿，惟有手臂由于持物不同而稍有變化，因此呆板而缺乏動感。祇有陶俑的顏面部位，在貼塑眉目耳鼻及髮髻鬍鬚時，因係不同的製作者分別用手工貼塑修整，導致各俑之間産生細微的差別，因此今日人們觀賞陶俑頭部特寫時，或感生動而且每個面相頗具性格特色。但綜觀全俑形體，就呆滯生硬而缺乏個性了。這也是當時造型藝術不夠成熟的表現。秦俑表面施塗濃彩，將原來的陶色全部遮蓋。這種在雕塑品上塗妝濃色的作法，實開中國傳統大型彩塑群體，特別是後來的成組合的宗教彩塑技法之先河，影響極爲深遠，直到今日仍爲中國民間彩塑作品所沿用。當年秦俑的製作者，很可能是用多變而艷麗的彩色㉓，緩解其形體造型的呆板，爲俑群增添了幾分華麗多變的風采。秦俑造型之呆板，固然是受到當時雕塑藝術不夠成熟的局限，但從另一角度觀察，這一造型特色也與秦代意識形態領域受到嚴密控制的狀況相適應，其刻板劃一的姿態，已可滿足當時製作者的需要，充作皇帝喪儀的隨葬明器。數千形體呆板的陶俑，排成軍陣，顯得出乎意料的齊整、劃一，足以顯示始皇帝的威儀，形成獨特的威嚴肅穆的氛圍，釀成令人壓抑的威懾氣勢。特別是今日被重新發掘出土而陳列出的陶俑群，由于俑體彩色脫落殆盡，已無色彩的華美與變化，呈現的祇是陶俑原來的灰色，更突出了形體的呆滯，顯得分外齊整而神態專一，令人觀後似乎置身于古老歷史那寂静的永恒之中，或許這就是今人感到的秦俑藝術魅力之所在。

秦亡漢興，漢承秦制，西漢初到文景時期，在宮殿建築、陵墓制度各方面也大致如此，皇帝陵墓中也隨葬有數量衆多的陶俑群。祇是由于接受了秦亡的教訓，又由于秦末動亂和楚漢之爭，連年戰亂導致當時經濟景況不佳，所以較秦始皇陵陶俑的製作有所精簡節約，俑的形體從與真人等高縮減爲真人體高的三分之一，但是製工則更爲精緻。同時除了皇帝的陵墓外，在埋葬諸侯王時也常設置埋藏衆多陶俑（或木俑）的兵馬俑坑。隨着西漢國力的增强，到漢武帝時情況有了新的變化，在建造功勛卓著的軍事統帥的墳墓時，開始出現了形體碩大的石雕藝術品，典型的實例就是驃騎將軍霍去病墓的石雕群像。爲了使巨大的如山般的墓冢更形象地表現祁連山的風貌，所以在冢上安放了各種動物的雕像，現在僅存的十六件石雕集中建室保護起來，計有臥馬、躍馬、“馬踏匈奴”、臥虎、臥猪、臥牛、羊、象、魚及“怪獸食羊”、“人與熊鬥”等題材。這組雕像都選用巨石刻成，長度一般超過1.5米，最大的達2.5米以上。其中“馬踏匈奴”三件雕像，强烈地表現出稱頌英雄墓主擊敗匈奴軍的主題，勝利的駿馬已將敵人仰面壓在馬腹之下，滿腮鬍鬚的敵人不甘心失敗，仍在垂死挣扎，用手中的長矛猛刺馬腹，但勝利的駿馬毫不理會，仍舊巍然屹立，四蹄穩穩地立在大地之上，豪邁雄勁，它正是墓内所葬英雄的意志的象徵，也是强盛的西漢王朝的精神象徵，在中國古代雕塑史上確可稱是前無古人的紀念碑性質的石雕。觀察霍去病墓的石雕群像，可以看出當時中國的雕刻技藝還僅是處于初創階段，作品的造型相當大的程度上受到石材形狀的限制，同時也還缺乏足够銳利的工具將巨石鏤雕成形，因此進行創作前儘量選取與準備雕成的藝術造型的輪廓大致近似的石材，以求進行最少量的修鑿加工，就使物像的外形得以雕造成功。外形輪廓雕好以後，加工的重點集中于刻劃動物的頭部，以及表明那種動物體態特徵最明顯的部位。至于細部刻劃，僅能利用浮雕和綫刻技法。對于馬、牛等四足動物，因爲尚未掌握鏤雕巨石的技術，也祇能在石面上淺淺雕出肢蹄的輪廓而已，例如躍馬。也許是爲了彌補技法拙稚的不足，所以當時將許多動物雕成伏臥的姿式，由于四肢均伏臥于地，因而避免了腿與腿之間的空間需要鏤雕的難題。除了爲陵墓製作的石雕作品外，當時在西漢宮苑建築中也開始放置有大型石雕作品，例如《三輔故事》等書中所記西漢宮苑中的巨大石雕作品，昆明池中放置的石鯨魚，太液池的石魚、石龜等，目前保存下來的祇有原長安昆明池畔的織女和牽牛雕像，采用與霍去病墓石雕群像同樣古拙的雕刻手法，祇具粗略的人形，弄得後人在很長時間弄不清哪一尊是女像又哪一尊爲男像。

　　霍去病墓石雕群像的出現，象徵着石雕藝術開始占據了中國古代雕刻的主要位置，跟隨其後的是彩塑和陶塑。自東漢時期佛教傳入中國以後，石雕和彩塑更是佛教藝術依靠的主要藝術門類。特別是十六國南北朝時期，隨着佛教的興盛，大量興建的石窟寺院，集中了古代藝術家和工匠的智慧和創作熱情，將中國古代的石雕和彩塑藝術不斷推向新的高峰，世俗領域的雕塑作品與之相比，却感相形見絀。由于宗教雕塑另有專卷，本卷從略。東漢以後，除佛教雕塑以外的雕塑作品，大致仍歸納爲陳放于宮苑和用于陵墓的雕塑作品。但是宮苑中的雕塑品，因王朝的覆亡和都城的毀滅，基本没能流傳後世。陵墓雕塑，不論是地面陵園的神道石刻，還是埋藏地下的隨葬俑群，許多都還能保留到今日，因此也就成爲現在我們得以窺知東漢以後中國古代雕塑的實物標本。

先看東漢以後的陵墓石刻。自西漢霍去病墓開始出現石雕群像以後，到東漢時期，墓前石雕呈現出新的面貌，有神道石柱、辟邪的石獸以及表現墓内死者身分的石刻人像“翁仲”。目前尚保存有一些這類的石雕作品，其中的神道石柱，以北京石景山上莊村發現的漢幽州書佐君神道石柱爲典型代表。有人從凹楞的柱身聯想到古希臘神殿的石柱，猜測它們之間或許有什麽關係，這其實是一種誤解。首先，神道石柱不是像希臘石柱那樣的建築物承重柱，而祇是用作標識的獨柱；其次，神道石柱柱身的凹棱是模仿中國古代建築中以較細的材料聚合成粗大柱材的外形，即“束竹柱”作法。束竹柱外表是以小材圍繞芯材而成，故形成美觀的縱凹凸棱綫，又在柱體上束縛多道加固繩索，漢代的束竹石柱，還仔細地刻出竹材的竹節，山東青州市博物館就陳列有刻出竹節紋的巨大石柱。因此仿束竹柱的神道石柱體上下，同樣刻出多道象徵繩索的絢索紋，而希臘等西方建築石柱則從不見這種絢索紋飾。至于侍立狀的亭長、門卒等小吏的石刻像，在山東曲阜等地都有保留。近似獅子形貌的神獸——辟邪像，則以河南省洛陽市出土的東漢“藁聚成奴”所作石天禄、辟邪石雕最爲精美，與西漢霍去病墓石刻相比，其雕工已頗精細，并且掌握了熟練的鏤雕技法。

東漢末年的社會大動亂，最後形成天下三分的三國時期，由于曹魏皇帝力求節葬，東漢時流行的墓前石碑石刻都被廢止。到了南北朝時期，陵墓石雕藝術品才得以復興。當時南方和北方頗有不同，南方主要是王侯陵墓前具有紀念意義的大型石刻群，而北方目前祇發現有少數石人像。南朝的陵墓分布在江蘇南京、丹陽和句容一帶，陵園建築雖已無存，但有些神道石刻尚遺留至今。據統計，在南京城東、北郊區迄江寧、句容縣境内，現存南朝神道石刻十八處五十件，丹陽有十一處二十六件。年代最早的是宋武帝劉裕初寧陵石獸，最遲的是陳文帝陳蒨永寧陵石獸，而以齊、梁兩朝的數量最多。從現存石刻觀察，如保存完整，一組石刻應包括成對的神獸、石柱和石碑。皇帝陵墓前的神道石刻，其雕琢較王侯墓精細美觀。這些石刻在延續漢代陵墓神道石刻傳統的基礎上，造型特徵有了新的變化，代表了南朝石雕造型藝術風貌，且有誘人的魅力。石柱是墓前神道的標識，由獸形柱礎、凹楞形柱身和刻字的墓表組成。以南朝石刻神獸與漢代同類石刻相比，不但雕琢技藝有了長足的進步，而且南朝神獸的巨大體量，也是漢代石獸難以企及的。隨着時間的推移，石刻神獸表現的氣勢有所變化。宋是開創期，其造型稍感簡樸，但頗渾厚自然；齊、梁時是成熟期，作品造型雄健，姿態更爲生動；到陳則進入衰微期，當時國勢日微，衰敗之氣也反映到藝術作品上，所雕神獸的頭顱頗大而向後仰，顯得縮頸拱肩，四肢矮短無力，無復過去那挺胸傲視的雄姿。在北方，皇帝的陵墓前還沒有發現過南朝那樣的成組石刻，《水經注》曾記載大同方山文明太皇太后永固陵前有石碑等石刻，但今已不存，祇是在遷都洛陽以後的北魏皇陵前，遺存立姿的侍臣像，籠冠袍服，雙手扶按儀刀，儀態端莊。東魏、北齊鄴都地區的陵墓前也殘存有石人像，還有巨大的石碑，但目前也沒有發現過像南朝那樣的石柱和神獸。

唐朝帝王陵墓前的石刻群，最早的是唐高祖李淵獻陵的石刻，是在陵園四門各放置一對石虎，南面神道又安置一對石犀和一對華表。石虎和石犀都是立姿，外輪廓簡潔概括，略覺拙樸，而氣勢雄渾。華表的八棱表柱上托有蹲獅的蓋，可以看出與南朝陵墓石雕中石表的淵源關係。總體看來，獻陵石刻較多地顯示着南北朝以來的傳統風格和技法，而且當時唐陵石刻尚未形成一定的制度與格局。風格渾樸的虎、犀，在後來的唐陵石刻中再也沒有出現過，門旁的石虎概由石獅所取代。此後是唐太宗李世民昭陵的石雕。代表作品是"昭陵六駿"，它們是六塊巨大的矩形畫面的浮雕作品，每塊雕出一匹戰馬，或行走、或奔馳，形貌寫實，連馬的裝飾和馬具也刻劃得細緻準確，有的身上還帶着箭傷，它們的名字分別是颯露紫、拳毛䯄、白蹄烏、特勒（勤）驃、青騅和什伐赤，僅在颯露紫前面還雕有爲它拔箭的戰將丘行恭的形貌。六駿是一組成功的紀念碑性質的石雕作品，用以紀念和歌頌唐太宗李世民的豐功偉績。與西方藝術中稱頌英雄的紀念像不同，英雄本人并沒有出場，但是從他所騎乘的戰馬的雄姿，人們時時都感到偉大的英雄的存在。這也正是東方藝術強調含蓄和象徵手法的成功杰作，令人回味無窮。這兩座陵墓的石雕，可算是唐陵石雕的初創階段。

唐高宗李治和武則天合葬的乾陵前的石刻群，象徵着唐陵石刻步入成熟階段。在陵園的四門各立一對石獅，還在北門安放有六匹石馬。其餘的石刻集中排列在南面神道兩側，由南向北排列着石華表、翼馬和駝鳥各一對，仗馬和控馬者五對，石人十對和石碑兩通（無字碑和述聖記碑）。除此以外，還安置有"蕃臣曾侍軒禁者"石像六十一尊。與獻陵和昭陵的石刻相比，乾陵石刻已經看不到拙樸雄渾的造型特色，技法顯得更成熟，加強了細部刻劃。同時像昭陵六駿那樣既形貌寫實，而又體態靈動變化自如的造型手法，也已不被采用，代之出現的是對同類題材的石刻，采用相同的姿態，而且是選取最爲端莊嚴肅的形態。仍以馬的造型爲例子，在端然肅立的控馬官身邊，鞍轡齊備的仗馬，四肢端直地俯首佇立，馴順安詳。五對同樣姿態的控馬官和仗馬排列在一起，更顯得分外規整嚴肅，它們和神態更爲嚴肅的石刻人像，以及矗立的華表和巨碑，匯合成一曲對興盛的唐王朝的頌歌，顯得莊嚴、肅穆、冷峻、威猛，呈現出穩定、永恒的美感。雖然乾陵石刻缺乏昭陵石刻所表現的創業者的戰鬥精神，但仍舊以其穩定而嚴整的造型，反映着興盛的王朝奮發向上的時代風貌。特別是那一對昂首佇立的翼馬，仰視天穹，似將振翼奮飛，更具有騰躍雲天的氣勢。繼乾陵以後，中宗定陵石刻和睿宗橋陵石刻，大致保持着和乾陵石刻同樣的風采，依然是唐陵石刻成熟階段的作品。石刻組合的制度化，與陵園建築群及宏大的山陵相呼應，共同形成肅穆、莊嚴、神聖的氣氛。

安史之亂以後，唐朝政治、經濟日趨衰落，陵墓石刻隨之漸失風采，無法與成熟階段的作品相比，但尚能延續其規制。玄宗泰陵、肅宗建陵、代宗元陵、德宗崇陵、順宗豐陵、憲宗景陵、穆宗光陵和敬宗莊陵等八陵的石刻，都是延續階段的作品，一般説來製作粗疏、體態無力、綫條鬆散，漸失唐陵石刻原有的雄偉風格。晚唐的五座陵墓，即文宗章陵、武宗端陵、宣宗貞陵、懿宗簡陵和僖宗靖陵，雖然仍保持着墓前石刻群的設置，但體姿瘦小，雕工粗率，顯示出衰微破敗的氣氛，可算是唐陵石刻的衰微階段，盡失原來的藝術光彩。創作唐陵石刻的藝術家們，因均係當時身分低下的匠人，姓名多不可考，僅在高祖李淵獻陵的石犀上，留有題銘，爲"武德拾年九月十一日石匠小湯二記"。這位小湯二，是唯一留下名字的唐陵石刻藝術的作者。

北宋建國以後，將皇陵修建在今河南鞏義市，建有自宋太祖至哲宗七個皇帝的陵墓，加上宋太祖父親趙弘殷的永安陵，當地民衆習慣稱爲"七帝八陵"。此外還葬有二十二位皇后，以及陪葬于皇陵的皇族和大臣們的墳墓，總數達千座之多。但是在金人滅北宋時，宋陵墓室多被盜掘，陵園亦遭到極大破壞，皆淪爲廢墟，祇有神道石刻較多保存下來。據統計，目前諸帝陵尚存石刻總數達四百零七件（內殘缺不全的三十三件），諸后陵存石刻三百三十六件（內殘缺不全的五十一件），陪葬墓存石刻六十九件（內殘缺不全的十九件），總數超過八百件⑳。北宋皇帝的陵墓石刻，與唐朝皇帝陵墓石刻相比，其間的承繼關係十分明顯，而且一開始就制定了陵園的制度和神道石刻的規制，以及皇后陵園及勳戚大臣按等級區分的墓園制度，并規定了神道石刻的内容和數量。這充分表現出到北宋時中國中央集權的官僚機構已臻于完備，各種規章和禮儀制度更趨成熟，所以北宋一代的陵墓都是按照同樣的規範營建的，神道石刻也是如此，有着同樣的内容和數量，按規定位置陳放，僅祇是隨着雕造時間的先後不同，它們的細部刻劃和裝飾紋樣有些差异而已。概括來看，北宋皇帝陵墓石刻集中在上宮，按規定有六十件，除陳放在東、西、北神門的門獅以外，多集中放置在乳臺以北、宮城以南的神道兩側，石刻面相內朝向神道，兩兩對稱，由外向內（由南向北）依次排列。順序是望柱一對，象與馴象人各一對，瑞禽石屏一對，神獸一對，馬二對，每馬各有二控馬官，虎二對，羊二對，番使三對，武官二對，文官二對。南門獅一對，武士一對，上馬石一對。神門內及陵臺前宮人二對。皇后陵的石刻減至三十件，除四座神門各有一對門獅外，神道兩側排列着望柱一對，馬一對，每馬各有二控馬官，虎二對，羊二對，武官一對，文官一對，宮人一對。至于陪葬的勛戚大臣，墓前石刻一般是六件，望柱、虎、羊各一對，三品以上加石人一對。從現存北宋陵墓石刻遺物來看，當時修建各陵墓時都嚴格遵守着有關規定，并無例外，也顯示着北宋時封建等級制度極為森嚴，凡人均不可逾越，陵墓石刻的內容和數量，充分顯示着死者生前的地位和權勢，其象徵意義較唐朝更為明顯。因此北宋皇帝陵墓石刻沒有唐陵石刻的雄渾氣勢，所有人像都是謙卑端立的態勢，尤其是南神門內的宮人更是叉手恭立，分外謙卑。連動物的姿態也是整齊劃一，或四足仁立，或蹲、臥，姿態呆板，南神門兩側的門獅雖呈走姿，但僅邁出半步，還套着繫有長鎖鏈的項圈，雖張着嘴，卻并無英武之氣。匯聚在一起，祇是一曲稱頌皇帝權威的低吟。但是在細部描繪方面，宋陵石刻則較唐陵石刻精細得多，舉凡人物的衣冠服制、武士的兜鍪鎧甲、仗馬的彎鐙鞍薦，無不刻劃精細，其上的裝飾紋樣也都用淺浮雕或綫刻仔細雕刻出來，確是精工細作。

北宋以後，從南宋到元，一直缺乏陵墓石刻，到明朝才恢復了陵墓石刻，在南京的孝陵和北京的十三陵都有保存，大致仍沿襲北宋傳統，但內容更為精簡，且造型更趨呆板。清代帝陵前仍設神道石刻，關外的清福陵、關內的清東陵和清西陵都有神道石刻，內容大致仍為文臣、武臣、馬、麒麟、象、駱駝、獬豸、獅子等，其中文臣服制髮式均改為清代的頂戴朝服辮髮的造型。清朝覆亡後，中國帝制歷史終結，但是在民國初年，袁世凱曾夢想當皇帝，結果演了一出洪憲復辟的鬧劇，最終以失敗告終，不過他死後葬于河南省安陽市，在他的墓前也安置了一組神道石刻，石人像身着當時的軍裝，體姿矮胖，形象醜陋，為中國陵墓石刻留下了極不光采的尾巴。

還應注意到，保留至今的東漢到唐代的大型雕塑作品，除了陵墓石刻以外，其他題材的作品很少。在近年來的考古發現中，可以舉出的僅有四川成都都江堰出土的李冰石像㉝，以及在山西永濟唐蒲津渡遺址黃河灘塗中出土的鐵人和鐵牛㉜。李冰像高2.9米，重約4噸，是戴冠袖手的立姿人像，造型端莊呆板，上有“故蜀郡李府君諱冰”等榜題，像足底設方榫，原應插立于基座之上，應是為紀念秦朝時創修都江堰造福于民的郡守李冰而雕造。山西永濟的唐代黃河河灘中出土的唐代鐵牛和鐵人，在氣勢和作品體量上可與唐陵石刻媲美，它們原用于固定橫跨黃河的浮橋。鐵牛鑄造于開元十二年（公元742年），出土四件，分前後兩排，面西朝河而立，牛旁各有一牽牛的鐵人，還有鐵山兩座和星狀鐵柱等。鐵牛體態龐大沉重，長約3米、高1.8米，各重55–75噸，鑄工精湛，造型渾厚雄健，顯示出人定戰勝自然的宏偉氣魄，是罕見的唐代大型金屬造型藝術珍品。

再看東漢以後隨葬在墓内的俑群。由于中國古代人像雕塑藝術的傳世作品相對缺乏，所以這些模擬着現實中的各種身分人物的、數量衆多的出土古俑，就爲我們提供了一處窺視中國古代人物雕塑的窗口。俑絶大多數爲陶塑作品，上施彩繪，也有少數瓷質的，或爲木雕、石雕，以及金屬鑄造的。因陶塑作品占絶大多數，所以各時代的陶俑可以視爲古俑藝術的代表㉝。到東漢時期，陶俑的造型日趨生動，秦墓和西漢墓隨葬的由衆多兵馬俑列成的森嚴軍陣銷聲匿迹，具有家内生活氣息的百戲樂舞日趨流行。東漢晚期，特別在四川蜀地，陶俑極有特色，多家内奴僕、農夫、部曲，造型頗生動，其中的裸身擊鼓侏儒俑，更爲傳神。三國時期，因爲曹魏節喪的限制，北方墓葬的隨葬俑群處于停滯狀態，但南方孫吳墓内隨葬的俑群和模型明器仍然盛行，但俑的造型一般較拙稚。也有一些新的造型，有的俑在額頭上出現類似佛教造像的“白毫相”，甚至出現佛陀與兩側脅侍的組合，并且出現了青瓷製品。西晋統一後，厚葬之風復又興起，隨葬俑群重又盛行，但是俑群的組合與東漢時期并不相同，顯示出新的時代風貌。隨葬俑群的内容一般分爲四個部分，包括牛狀鎮墓獸和着甲胄的鎮墓俑，以牛車、鞍馬爲中心的出行隊列，家居奴僕伎樂，以及庖厨明器和家畜家禽。西晋滅亡以後，南方東晋、南朝的隨葬俑群大致沿襲西晋傳統，除陶俑外也使用青瓷俑。而北方十六國、北朝的隨葬俑群，則在沿襲原來中原漢晋傳統基礎上又有創新，基本上承襲着西晋俑群的四部分内容，但是在出行隊列中出現大量重甲騎兵——甲騎具裝，以及騎馬鼓吹、持盾步兵，俑像服飾出現胡服，時代特徵日趨明顯，而且俑群的數量日增。自北魏遷都洛陽以後，隨葬俑群日漸形成一定的規制，特別是鎮墓的組合，概由獸形與甲胄武士形各一對組成。獸形的一對形體似獅，一個作人面，另一個作獸（獅）面，頭上立戟，背後鬃毛竪立；甲胄武士直立按長盾，所披鎧甲先是“兩當”，以後改爲“明光”。北魏分裂以後，東魏—北齊和西魏—北周的隨葬俑群基本上沿襲北魏舊制，僅僅陶俑造型各有地方特色，前者塑工精細，後者製作粗拙。同時俑群的數量急劇膨脹，王侯高官墓中的隨葬俑群數量常過千件，磁縣灣漳大墓的陶俑歷史上曾遭擾毁，但能夠復原完好的還超過一千八百件之多。最大的兩件門吏俑，體高達142.5厘米，是目前所知北朝陶俑中形體最高大的標本。推測那座墓是北齊帝王的陵墓，所以隨葬俑群規制最高㉞。

隋至唐初，隨葬俑群仍承襲北朝晚期形制。到高宗武后時，呈現出新面貌，北朝時軍事色彩濃重的出行隊列消失了，代之以裝飾華美的鞍馬，有時有騎馬樂隊，或架鷹携犬的出獵行列。鎮墓神怪俑中，按長盾的甲冑武士裝鎮墓俑被天王形鎮墓俑所取代，足下踏山石或卧牛；鎮墓獸仍呈蹲坐狀，但體側鬃毛翼張。另外，出現形體較大的文官和武官俑，還出現了"三彩"俑，係用低温燒成的釉色多變的特殊釉陶。開元、天寶時，三彩俑達到盛期，人物造型趨于肥腴，陶馬塑造得神駿傳神。天王形鎮墓俑，足踏小鬼，一手叉腰，威猛生動。鎮墓獸也不再是呆板的蹲坐姿態，而是張牙舞爪，鬃毛竪張，同樣足踏小鬼。還有袖手端立的獸首人體十二時俑。除鞍馬外，還有駱駝，最佳的作品是駱駝載樂俑。天寶以後，隨着唐朝國力日衰，隨葬陶俑也就日趨衰落。由于唐代三彩俑造型生動、釉色多變，當年雖是埋入墓内的明器，但是到後代則常被世人視爲文物中的精品。

宋代因埋葬觀念的改變，墓室仿木構雕磚和壁畫的盛行，以及使用紙明器等，以俑群隨葬的習俗日趨衰落，有的墓中出現"明器神煞"俑，也有的墓中已不見陶俑的踪影。但是在江南盛產瓷器的地區，有的墓中以瓷俑隨葬，江西鄱陽和景德鎮南宋墓中，出土過作表演姿態的瓷俑，形像生動，應與古代戲劇有關。在北方與北宋和南宋并存的遼和金的領地内，由于民族習俗不同，一般不用俑隨葬，祇有極少數例外，北京昌平陳莊村遼墓出土的男（髠髮）、女陶俑，是罕見的特例。此後到蒙元時期，由于喪葬習俗的變化，隨葬俑群更不受重視，但是在陝西一帶的元墓（主要是當時的漢族官員）還是有塑工較精細的黑陶俑，所着服飾改爲蒙元服制，同樣表現時代特色。明朝建立後，在帝陵和王陵及高官的墓葬中，也還有隨葬俑群，反映出當時的官儀服制。隨葬俑群到清朝時進一步衰落，在廣東大埔出土的清初"御賜一品典式營造"的吳六奇墓中，出土有一組隨葬陶俑和模型明器⊗。雖然塑工拙劣，缺乏藝術性，但可視爲中國古代千餘年沿續不斷的俑像藝術的落日餘輝。

綜觀中國古代雕塑藝術幾千年來發展演變的歷史進程，可以看出，她與世界其它古代文明中的雕塑藝術相比，走着一條具有民族特色和地域特色的獨特發展道路。但是她又不是固步自封的，而是在與其它古代文明的碰撞和接觸中，隨時汲取新的養分，不斷改變自己的面貌，培養出新的藝術奇葩。過去曾經有人將中華民族形象地比喻爲黃土的兒女，如前所引中國古代"創世紀"的神話傳說，女媧用于造出中國人始祖的也是泥土。而中國古代雕塑藝術也正是源于大地母親賜與的取之不盡的資源——泥土。泥塑（或是經過窰火焙燒的陶塑）上敷重彩，一直是從史前直到近代中國雕塑的主要藝術形式。伴隨泥塑出現的玉石雕塑，隨着時代的推移，到西漢以後向兩個方向發展，一方面出現了大型石雕，另一方面是沿襲先秦玉雕繼續發展，形成具有民族特色的玉雕藝術，至今仍是中國傳統工藝美術的重要門類。當域外的藝術沿着古代商路（特別是從西漢時正式開通的重要中西陸路交通綫"絲綢之路"）傳入中土後，它們對中國本土藝術產生了影響，其中最具影響力的是源自古印度的佛教藝術。隨着佛教在中國的廣泛傳布，佛教藝術與中國固有的文化藝術不斷結合，中國化的勢頭也越趨強勁。在佛教造型藝術方面，出現了具有中國特色的寺廟建築，以及與之適應的石刻和泥塑，主要表現在各地至今保存的石窟寺藝術遺存。中國傳統雕塑在佛教藝術中國化的過程中起着重要作用，而中國化的佛教雕塑又影響和滲透于社會上世俗雕塑藝術的創作之中。社會上流行的世俗雕塑藝術主要仍是以宮室雕塑以及陵墓雕塑爲主。前者包括宮室庭院雕塑，以及室內裝飾與陳設雕塑；後者包括墓園石刻、墓室內裝飾，以及隨葬明器中的雕塑品，特別是隨葬的俑像。可以看出，它們仍然沿襲着漢魏以降中國古代雕塑藝術的傳統，宮室庭院和墓園神道雕刻，主要是大型石雕，而隨葬俑群等小型雕塑則以陶塑爲主，銅、木、瓷等材質的作品均較爲罕見。可以看出，隨着時間的推移以及王朝的更迭，這兩類雕塑作品均有所發展演變，從魏晋直到明清。其中保留至今文物最多的當屬墓俑。各個時代墓葬中隨葬的陶俑，可以大致反映出中國古代雕塑藝術造型（特別是人物造型）發展演變的軌迹。也可以説，陶俑和寺廟中的宗教彩塑，正是代表具有民族特色的中國古代敷重彩泥塑（陶塑）的最好標本。到明清以後，隨着隨葬俑群的衰落和寺廟彩塑的日趨程式化，這兩種雕塑形式逐漸喪失了藝術生命力，但是從史前開始的歷史悠久的泥塑藝術傳統，始終扎根于廣大民衆之中，在大江南北都有許多著名的民間泥塑（陶塑）作品流傳于世，諸如惠山泥人、石灣陶塑、北京泥人張等，爲廣大群衆喜愛，久盛不衰，至今仍被視爲民間工藝的瑰寶。

注釋：

① 河南博物院、密縣文化館：《河南密縣莪溝北崗新石器時代遺址》，《考古學集刊》第1集1–26轉48頁，中國社會科學出版社，1981年11月。

② 《河北易縣北福地史前遺址》，國家文物局：《2004中國重要考古發現》9–12頁，文物出版社，2005年。

③ 開封地區文物管理委員會、新鄭縣文物管理委員會、鄭州大學歷史系考古專業：《裴李崗遺址一九七八年發掘簡報》，《考古》1979年第3期197–205頁。

④ 中國社會科學院考古研究所：《寶雞北首嶺》，文物出版社，1983年。

⑤ 見蘇秉琦：《關于仰韶文化的若干問題》，《蘇秉琦考古論述選集》179頁，文物出版社，1984年。

⑥ 黃河水庫考古隊華縣隊：《陝西華縣柳子鎮第二次發掘的主要收獲》，《考古》1959年第11期585–587轉591頁。

⑦ 湖北省文物考古研究所、北京大學考古學系、湖北省荊州地區博物館石家河考古隊：《鄧家灣天門石家河考古報告之二》，文物出版社，2003年。

⑧ 西北大學文博學院考古專業：《陝西扶風案板遺址第五次發掘》，《文物》1992年第11期1–10頁。

⑨ 西北大學文博學院考古專業：《案板遺址仰韶時期大型房址的發掘——陝西扶風案板遺址第六次發掘紀要》，《文物》1996年第6期41–48頁。

⑩ 郭大順、張克舉：《遼寧省喀左縣東山嘴紅山文化建築群址發掘簡報》，《文物》1984年第11期1–11頁。

⑪ 遼寧省文物考古研究所：《遼寧牛河梁紅山文化"女神廟"與積石冢群發掘簡報》，《文物》1986年第8期1–17頁。

⑫ 孫守道、郭大順：《牛河梁紅山文化女神頭像的發現與研究》，《文物》1986年第8期18–24頁。

⑬ 參看楊泓：《美術考古半世紀——中國美術考古發現史》3337頁，文物出版社，1997年。

⑭ 翁牛特旗文化館：《内蒙古翁牛特旗三星他拉村發現玉龍》，《文物》1984年第6期6轉10頁。

⑮ 安徽省文物考古研究所：《安徽含山凌家灘新石器時代墓地發掘簡報》，《文物》1989年第4期1–9轉30頁。

⑯ 中國社會科學院考古研究所：《殷墟婦好墓》，文物出版社，1980年。

⑰ 李長慶、田野：《祖國歷史文物的又一次重要發現——陝西鄘縣發掘出四件周代銅器》，《文物參考資料》1957年第4期5–9頁。

⑱ 中國社會科學院考古研究所：《張家坡西周墓地》，中國大百科全書出版社，1999年。

⑲ 四川省文物考古研究所：《三星堆祭祀坑》，文物出版社，1999年。

⑳ 同注16。

㉑ 中國科學院考古研究所安陽發掘隊：《1975年安陽殷墟的新發現》，《考古》1976年第4期264–272轉363頁。

㉒ 《陝西韓城梁帶村墓地2007年考古發掘》，國家文物局：《2007中國重要考古發現》46–51頁，文物出版社，2008年。

㉓ 參看注13，299–306頁。

㉔ 《史記·秦始皇本紀》："收天下兵，聚之咸陽，銷以爲鐘鐻，金人十二，重各千石，置廷宮中。""重各千石"，"索隱"引《三輔舊事》記爲"各重三十四萬斤"，"正義"引《三輔舊事》則記爲"各重二十四萬斤"。中華書局校點本《史記》239–240頁，1959年。

㉕ 秦始皇陵兵馬俑博物館、陝西省考古研究所：《秦始皇陵銅車馬發掘報告》，文物出版社，1998年。

㉖ 陝西省考古研究所、秦始皇兵馬俑博物館：《秦始皇陵園K0007陪葬坑發掘簡報》，《文物》2005年第6期16–38頁。

㉗ 陝西省考古研究所、始皇陵秦俑坑考古發掘隊：《秦始皇陵兵馬俑一號坑發掘報告（1974–1984）》，文物出版社，1988年。始皇陵秦俑坑考古發掘隊：《秦始皇陵東側第二號兵馬俑坑鑽探試掘簡報》，《文物》1978年第5期1–20頁。秦俑坑考古隊：《秦始皇陵東側第三號兵馬俑坑清理簡報》，《文物》1979年第12期1–12頁。

㉘ 據秦俑體上刻劃或戳印文字，可知製俑陶工，有的隸屬宮廷或中央官署，有的由各地徵調，以咸陽地區徵調來的最多，在陶俑造型上有些差异，可參看袁仲一：《秦始皇陵兵馬俑研究》，第四章第四節，文物出版社，1990年。

㉙ 據研究者分析："秦俑坑出土的武士俑的衣着没有統一的服色，而是各隨所好，顏色艷麗。"見袁仲一：《秦始皇陵兵馬俑研究》，273頁。

㉚ 河南省文物考古研究所：《北宋皇陵》，中州古籍出版社，1997年，鄭州。

㉛ 四川省灌縣文化局：《都江堰出土東漢李冰石像》，《文物》1974年第7期27–28頁。

㉜ 楊純淵：《永濟蒲津渡遺址》，《中國考古學年鑒（1992）》166–167頁，文物出版社，1994年。

㉝ 參看注13，322–363頁。

㉞ 中國社會科學院考古研究所、河北省文物研究所：《磁縣灣漳北朝壁畫墓》，科學出版社，2003年。

㉟ 楊豪：《清初吳六奇墓及其殉葬遺物》，《文物》1982年第2期39–43頁。

目　　録

新石器時代（公元前八〇〇〇年至公元前二〇〇〇年）

頁碼	名稱	時代	發現地	收藏地
1	陶人頭像	裴李崗文化	河南新密市莪溝村	河南省文物研究所
1	陶人頭	雙墩文化	安徽蚌埠市小蚌埠鎮雙墩村	安徽省蚌埠市博物館
2	陶猪頭	上宅文化	北京平谷區上宅	首都博物館
2	陶人頭像	河姆渡文化	浙江餘姚市河姆渡遺址	浙江省博物館
3	陶猪	河姆渡文化	浙江餘姚市河姆渡遺址	中國國家博物館
3	骨雕人頭像	仰韶文化	陝西西鄉縣何家灣	陝西省考古研究院
3	陶人頭像	仰韶文化	陝西安康市柳家河	陝西省考古研究院
4	陶人頭形壺口	仰韶文化	陝西商洛市商州區	陝西省西安半坡博物館
4	陶鴞面	仰韶文化	陝西華縣泉護村	北京大學賽克勒考古與藝術博物館
5	陶鴞形鼎	仰韶文化	陝西華縣太平莊	中國國家博物館
6	陶蛙	仰韶文化	陝西西安市臨潼區姜寨	陝西省西安半坡博物館
6	陶猪頭	仰韶文化	河南淅川縣宋灣鄉下王崗	河南省文物考古研究所
7	彩陶人頭形瓶	仰韶文化	甘肅秦安縣大地灣	甘肅省博物館
8	陶人頭形瓶	仰韶文化	甘肅秦安縣寺嘴村	甘肅省秦安縣文化館
8	陶鳥形器蓋	大溪文化	湖北松滋市桂花樹遺址	湖北省荆州博物館
9	陶人面	大汶口文化	山東長島縣北莊遺址	北京大學賽克勒考古與藝術博物館
9	陶猪形鬹	大汶口文化	山東膠州市三里河	中國國家博物館
10	陶獸形壺	大汶口文化	山東泰安市大汶口	山東省博物館
11	石人像	紅山文化	內蒙古巴林右旗巴彥漢蘇木那日斯臺遺址	內蒙古自治區巴林右旗博物館
11	陶人首	馬家窰文化	甘肅臨夏市	甘肅省臨夏回族自治州博物館
12	陶捏塑雙性裸體人像	馬家窰文化	青海樂都縣柳灣	中國國家博物館
12	陶蛙形罐	馬家窰文化	甘肅臨夏市	甘肅省博物館
13	陶水鳥形壺	良渚文化	江蘇吳江市梅埝遺址	南京博物院
13	陶人像	石家河文化	湖北天門市鄧家灣	湖北省荆州博物館
14	陶鳥	石家河文化	湖北天門市鄧家灣	湖北省荆州博物館
14	陶狗	石家河文化	湖北天門市鄧家灣	湖北省荆州博物館
15	陶象	石家河文化	湖北天門市鄧家灣	湖北省荆州博物館

頁碼	名稱	時代	發現地	收藏地
15	陶人頭像	龍山文化	河南鄭州市上街鋁廠	河南博物院
16	陶人頭像	齊家文化	甘肅禮縣高寺頭村	甘肅省博物館
17	陶水鳥形器	齊家文化	甘肅康樂縣蘇集鄉	甘肅省臨夏回族自治州博物館
17	紅陶鳥形器	齊家文化	甘肅廣河縣嘴上村	甘肅省博物館
18	彩陶鷹形器	四壩文化	甘肅玉門市清泉鄉火燒溝	甘肅省博物館
18	彩陶人形罐	四壩文化	甘肅玉門市清泉鄉火燒溝	甘肅省博物館

商至戰國（公元前十六世紀至公元前二二二年）

頁碼	名稱	時代	發現地	收藏地
19	陶人面形器蓋	商	河北藁城市臺西村	河北省文物研究所
19	陶奴隸像	商	河南安陽市小屯村	臺北“中央研究院歷史語言研究所”
20	銅人面具	商	河南安陽市武官北地1400號墓	臺北“中央研究院歷史語言研究所”
20	石人像	商	河南安陽市小屯村婦好墓	中國國家博物館
21	銅羊形觥	商		日本藤田美術館
22	石牛	商	河南安陽市小屯村婦好墓	中國國家博物館
22	銅牛形觥	商	湖南衡陽市	湖南省博物館
23	銅牛形觥	商		美國哈佛大學藝術博物館
23	石虎	商	河南安陽市小屯村	中國社會科學院考古研究所
24	陶虎	商	河南鄭州市二里崗	河南博物院
24	陶虎	商	四川成都市青羊宮	四川博物院
25	銅雙尾虎	商	江西新干縣大洋洲	江西博物院
25	銅象形尊	商		法國巴黎吉美美術館
26	銅象形尊	商	湖南醴陵市獅形山	湖南省博物館
27	銅豕形尊	商	湖南湘潭市船形山	湖南省博物館
27	銅犀形尊	商	原山東壽張縣梁山	美國舊金山亞洲藝術博物館
28	銅獸形觥	商	陝西洋縣張家村	陝西省洋縣文物博物館
28	石鳥	商	河南安陽市小屯331號墓	臺北“中央研究院歷史語言研究所”
29	銅男相人像	西周	陝西寶雞市茹家莊西周墓	陝西省寶雞市博物館
29	銅持環人像	西周	陝西寶雞市茹家莊西周墓	陝西省寶雞市博物館
30	銅踞坐人像	西周	安徽黃山市屯溪區弈棋西周墓	安徽省博物館
30	銅駒形尊	西周	陝西眉縣李村	中國國家博物館

頁碼	名稱	時代	發現地	收藏地
31	銅牛形尊	西周	陝西岐山縣賀家村	陝西歷史博物館
31	銅豕形尊	西周	山西曲沃縣晉侯墓地113號墓	山西省考古研究所
32	銅虎形尊	西周	傳陝西寶雞市	美國華盛頓弗利爾美術館
32	銅虎形尊	西周	湖北江陵縣江北農場	湖北省荊州博物館
33	銅貘形尊	西周	陝西寶雞市茹家莊2號墓	陝西省寶雞市博物館
33	銅象形尊	西周	陝西寶雞市茹家莊1號墓乙室	陝西省寶雞市博物館
34	銅獸形尊	西周	陝西西安市長安區張家坡	中國社會科學院考古研究所
34	銅爬龍	西周	陝西扶風縣召公鎮海家村	陝西省扶風縣博物館
35	銅鳳鳥形尊	西周	傳山西倗國墓地	北京市保利藝術博物館
36	銅鳥形尊	西周	山西曲沃縣晉侯墓地114號墓	山西省考古研究所
37	銅鳥形尊	西周	陝西寶雞市茹家莊1號墓乙室	陝西省寶雞市博物館
37	銅牛形尊	春秋	山西渾源縣李峪村	上海博物館
38	木雕臥馬	春秋	陝西鳳翔縣秦公1號墓	陝西省考古研究所
38	銅神獸	春秋	河南淅川縣徐家嶺9號墓	河南省文物考古研究所
39	銅鳥形尊	春秋	山西太原市	山西省考古研究所
40	陶騎馬俑	戰國	陝西咸陽市渭城區塔爾坡	陝西省咸陽市文物考古研究所
40	陶樂舞俑	戰國	山西長治市分水嶺	山西博物院
41	銅犧背立人擎盤	戰國	山西長治市分水嶺	山西博物院
42	銅人像	戰國	河北易縣武陽臺鄉高陌村	河北省文物研究所
42	漆繪銅跽坐人形燈	戰國	河南三門峽市上村嶺	河南博物院
43	鉛跪人	戰國	河南洛陽市中州路	故宮博物院
43	漆繪木俑	戰國	河南信陽市長臺關	河南省文物考古研究所
44	銅人像	戰國	湖北隨州市曾侯乙墓	湖北省博物館
44	銅騎駝人形燈	戰國	湖北江陵縣望山	湖北省博物館
45	彩繪木俑	戰國	湖北江陵縣雨臺山59號墓	湖北省文物考古研究所
45	彩繪木俑	戰國	湖北江陵縣紀城1號墓	湖北省文物考古研究所
46	木持劍俑	戰國	湖南長沙市近郊戰國楚墓	湖南省博物館
46	漆木俑	戰國	安徽潛山縣彭嶺32號墓	安徽省文物考古研究所
47	銅武士俑	戰國	新疆新源縣鞏乃斯河南岸	新疆維吾爾自治區博物館
47	銅立人柄曲刃短劍劍首	戰國	內蒙古寧城縣南山根	內蒙古博物院
48	銅盤角羊頭形車飾	戰國	內蒙古鄂爾多斯市	內蒙古博物院
48	錯金銀銅牛形插座	戰國	河北平山縣	河北省文物研究所
49	銅牛形尊	戰國	河北平山縣	河北省文物研究所
49	錯金銀銅牛形尊	戰國	江蘇漣水縣三里墩	南京博物院

頁碼	名稱	時代	發現地	收藏地
50	銅馬	戰國	河北邯鄲市趙王陵2號陵	河北省邯鄲市博物館
50	銅馬	戰國	河北邯鄲市趙王陵2號陵	河北省邯鄲市博物館
51	銅馬	戰國	山東平陰縣孝直鎮	山東省平陰縣博物館
51	銅馬	戰國		故宮博物院
52	錯金銀銅虎噬鹿插座	戰國	河北平山縣	河北省文物研究所
52	陶虎頭形水管道	戰國	河北易縣燕下都遺址	中國國家博物館
53	漆木虎	戰國	湖南臨澧縣九里1號墓	湖南省博物館
53	銅虎形節	戰國		故宮博物院
54	漆木梅花鹿	戰國	湖北隨州市曾侯乙墓	湖北省博物館
55	銅臥鹿	戰國	江蘇漣水縣三里墩西漢墓	南京博物院
55	銅雙鹿	戰國	內蒙古鄂爾多斯市速機溝	內蒙古博物院
56	銅麋鹿	戰國	甘肅張掖市龍渠鄉木龍壩村	甘肅省張掖市博物館
56	金鹿形獸	戰國	陝西神木縣納林高兔村	陝西省神木縣文物管理委員會
57	銀猿形帶鉤	戰國	山東曲阜市魯故城	山東省博物館
57	錯金銀銅犀形插座	戰國	河北平山縣	河北省文物研究所
58	銅鹿角立鶴	戰國	湖北隨州市曾侯乙墓	湖北省博物館
59	錯金銀銅雙翼神獸	戰國	河北平山縣中山王𰯀墓	河北省文物研究所
60	銅獸形尊	戰國	廣西賀州市沙田龍中山岩洞墓	廣西壯族自治區賀州市博物館
60	錯金銀銅神獸	戰國	河北平山縣中山王𰯀墓	河北省文物研究所
61	錯金銀銅獸首形飾	戰國	河南輝縣市固圍村	中國國家博物館
62	銅龍形鈕	戰國	湖北隨州市曾侯乙墓	湖北省博物館
62	銅建鼓座	戰國	湖北隨州市曾侯乙墓	湖北省博物館
63	銅怪獸形編磬座	戰國	湖北隨州市曾侯乙墓	湖北省博物館
63	漆木雙頭鎮墓獸	戰國	湖北江陵縣雨臺山18號墓	湖北省文物考古研究所
64	銅鷹首	戰國	甘肅永登縣榆樹井	甘肅省博物館
64	銅鷹	戰國	安徽壽縣朱家集	安徽省博物館
65	鷹頂金冠	戰國	內蒙古杭錦旗阿魯柴登	內蒙古博物院
65	漆木虎鳥懸鼓架	戰國	湖北江陵縣望山1號墓	湖北省博物館
66	木雕小座屏	戰國	湖北江陵縣望山1號墓	湖北省博物館
68	漆木鴛鴦形盒	戰國	湖北隨州市曾侯乙墓	湖北省博物館
68	彩繪陶鴨	戰國	河南鄭州市二里崗	河南博物院

秦西漢（公元前二二一年至公元二五年）

頁碼	名稱	時代	發現地	收藏地
69	陶將軍俑	秦	陝西西安市臨潼區秦始皇陵	陝西省秦始皇兵馬俑博物館
70	陶將軍俑	秦	陝西西安市臨潼區秦始皇陵	陝西省秦始皇兵馬俑博物館
70	陶武官俑	秦	陝西西安市臨潼區秦始皇陵	陝西省秦始皇兵馬俑博物館
71	陶武士俑	秦	陝西西安市臨潼區秦始皇陵	陝西省秦始皇兵馬俑博物館
71	陶御手俑	秦	陝西西安市臨潼區秦始皇陵	陝西省秦始皇兵馬俑博物館
72	陶跪射俑	秦	陝西西安市臨潼區秦始皇陵	陝西省秦始皇兵馬俑博物館
73	陶立射俑	秦	陝西西安市臨潼區秦始皇陵	陝西省秦始皇兵馬俑博物館
73	陶袖手俑	秦	陝西西安市臨潼區秦始皇陵	陝西省秦始皇兵馬俑博物館
74	陶百戲俑	秦	陝西西安市臨潼區秦始皇陵	陝西省秦始皇兵馬俑博物館
74	陶百戲俑	秦	陝西西安市臨潼區秦始皇陵	陝西省秦始皇兵馬俑博物館
75	陶坐俑	秦	陝西西安市臨潼區秦始皇陵	陝西省秦始皇兵馬俑博物館
75	陶鞍馬及牽馬俑	秦	陝西西安市臨潼區秦始皇陵	陝西省秦始皇兵馬俑博物館
76	陶驂馬	秦	陝西西安市臨潼區秦始皇陵	陝西省秦始皇兵馬俑博物館
77	銅鶴	秦	陝西西安市臨潼區秦始皇陵	陝西省秦始皇兵馬俑博物館
78	銅車馬	秦	陝西西安市臨潼區秦始皇陵	陝西省秦始皇兵馬俑博物館
80	石雕牽牛像	西漢	原置陝西西安市長安區常家莊村	陝西省西安市長安區草堂寺
81	石雕織女像	西漢	原置陝西西安市長安區常家莊村	陝西省西安市長安區斗門鎮棉絨加工廠內
82	石人與熊	西漢	陝西興平市霍去病墓	陝西省茂陵博物館
83	石雕立馬	西漢	陝西興平市霍去病墓	陝西省茂陵博物館
84	石雕臥馬	西漢	陝西興平市霍去病墓	陝西省茂陵博物館
84	石雕躍馬	西漢	陝西興平市霍去病墓	陝西省茂陵博物館
85	石雕伏虎	西漢	陝西興平市霍去病墓	陝西省茂陵博物館
85	石雕臥牛	西漢	陝西興平市霍去病墓	陝西省茂陵博物館
86	石雕臥象	西漢	陝西興平市霍去病墓	陝西省茂陵博物館
86	石雕走虎	西漢	山西運城市安邑杜村	山西博物院
87	彩繪陶騎馬武士俑	西漢	陝西咸陽市楊家灣	陝西省咸陽博物館
88	彩繪陶騎馬武士俑	西漢	陝西西安市漢墓	陝西省西安博物院
88	彩繪陶騎兵俑	西漢	陝西咸陽市漢景帝陽陵	陝西省漢陽陵博物館
89	彩繪陶立射俑	西漢	陝西咸陽市韓家灣狼家溝	陝西歷史博物館

頁碼	名稱	時代	發現地	收藏地
90	彩繪陶裸體武士俑	西漢	陝西咸陽市漢景帝陽陵	陝西省漢陽陵博物館
91	彩繪陶裸體女俑	西漢	陝西興平市張里村	陝西省茂陵博物館
92	彩繪陶武士俑頭	西漢	陝西咸陽市漢景帝陽陵	陝西省漢陽陵博物館
92	彩繪陶武士俑頭	西漢	陝西咸陽市漢景帝陽陵	陝西省漢陽陵博物館
93	彩繪陶武士俑頭	西漢	陝西咸陽市漢景帝陽陵	陝西省漢陽陵博物館
93	彩繪陶女騎者俑頭	西漢	陝西咸陽市漢景帝陽陵	陝西省漢陽陵博物館
94	彩繪陶儀衛俑	西漢	江蘇銅山縣北洞山楚王墓	江蘇省徐州博物館
94	彩繪陶立俑	西漢	陝西咸陽市韓家灣狼家溝	陝西歷史博物館
95	彩繪陶女立俑	西漢	陝西咸陽市漢景帝陽陵	陝西省漢陽陵博物館
95	彩繪陶女立俑	西漢	陝西西安市臨潼區新豐驪山	陝西省西安市臨潼區博物館
96	彩繪陶女立俑	西漢	陝西西安市漢陵	陝西歷史博物館
96	彩繪陶女立俑	西漢	江蘇銅山縣北洞山楚王墓	江蘇省徐州博物館
97	彩繪陶女拱手俑	西漢	陝西咸陽市漢景帝陽陵	陝西省漢陽陵博物館
97	彩繪陶女踞坐俑	西漢	陝西西安市姜村白鹿原漢墓	陝西歷史博物館
98	彩繪陶女踞坐俑	西漢	陝西西安市姜村漢墓	陝西歷史博物館
98	彩繪陶女舞俑	西漢	陝西西安市白家口	中國國家博物館
99	彩繪陶大喇叭裙女立俑	西漢	陝西西安市長安城遺址	陝西歷史博物館
99	彩繪陶舞俑	西漢	江蘇徐州市東王莊馱籃山楚王墓	江蘇省徐州博物館
100	彩繪陶舞俑	西漢	江蘇徐州市東王莊馱籃山楚王墓	江蘇省徐州博物館
101	彩繪陶吹奏俑	西漢	江蘇徐州市東王莊馱籃山楚王墓	江蘇省徐州博物館
101	木騎馬俑	西漢	江蘇泗陽縣大青墩泗水王陵	南京博物院
102	彩繪木六博俑	西漢	甘肅武威市磨嘴子漢墓	甘肅省博物館
103	彩繪陶雜技盤	西漢	山東濟南市無影山1號西漢墓	山東省濟南市博物館
104	木騎馬俑	西漢	四川綿陽市永興雙包山2號墓	四川省綿陽市博物館
105	彩繪木侍衛俑	西漢	湖北荊州市鳳凰山167號墓	湖北省荊州博物館
106	木伸臂伎樂俑	西漢	江蘇泗陽縣大青墩泗水王陵	南京博物院
106	木伎樂舞俑	西漢	江蘇泗陽縣大青墩泗水王陵	南京博物院
107	鎏金銅騎馬俑	西漢	廣西西林縣	廣西壯族自治區博物館
108	銅四人博戲俑	西漢	廣西西林縣	廣西壯族自治區博物館
109	銅四人博戲俑	西漢	甘肅靈臺縣傅家溝1號墓	甘肅省靈臺縣博物館
109	銅說唱俑	西漢	河北滿城縣中山靖王劉勝墓	河北省博物館
110	銅三戲俑	西漢	江蘇漣水縣三里墩	南京博物院
111	銅執傘男俑	西漢	雲南江川縣李家山	雲南省江川縣李家山考古工作站
111	銅持傘女俑	西漢	雲南晉寧縣石寨山墓	雲南省博物館

頁碼	名稱	時代	發現地	收藏地
112	銅持傘俑	西漢	雲南晋寧縣石寨山	雲南省博物館
112	鎏金銅長信宮燈	西漢	河北滿城縣竇綰墓	河北省博物館
113	銅戰争場面貯貝器蓋	西漢	雲南晋寧縣石寨山	雲南省博物館
113	鎏金銅獻俘掠奪扣飾	西漢	雲南晋寧縣石寨山	雲南省博物館
114	銅樂舞俑	西漢	雲南晋寧縣石寨山	雲南省博物館
114	鎏金銅雙人舞盤扣飾	西漢	雲南晋寧縣石寨山	雲南省博物館
115	鎏金銅八人樂舞扣飾	西漢	雲南晋寧縣石寨山	雲南省博物館
116	鎏金銅四人舞俑扣飾	西漢	雲南晋寧縣石寨山	中國國家博物館
117	銅騎士獵鹿扣飾	西漢	雲南江川縣李家山	雲南省江川縣李家山考古工作站
117	銅騎士獵鹿扣飾	西漢	雲南江川縣李家山	雲南省博物館
118	銅二人獵猪扣飾	西漢	雲南江川縣李家山	雲南省博物館
118	銅四人縛牛扣飾	西漢	雲南江川縣李家山	雲南省博物館
119	彩繪陶馬	西漢	陝西咸陽市漢景帝陽陵	陝西省漢陽陵博物館
119	木立馬	西漢	江蘇泗陽縣大青墩泗水王陵	南京博物院
120	鎏金銅馬	西漢	陝西興平市茂陵1號無名冢	陝西省茂陵博物館
121	銅馬與御手俑	西漢	廣西貴港市風流嶺31號漢墓	廣西壯族自治區博物館
122	彩繪陶牛	西漢	陝西咸陽市漢景帝陽陵	陝西省漢陽陵博物館
122	銅虎噬牛案	西漢	雲南江川縣李家山	雲南省博物館
123	彩繪陶山羊	西漢	陝西咸陽市漢景帝陽陵	陝西省漢陽陵博物館
123	銅羊燈	西漢	河北滿城縣中山靖王劉勝墓	河北省博物館
124	銅三狼噬羊扣飾	西漢	雲南江川縣李家山	雲南省博物館
124	石猪	西漢	湖南長沙市	中國國家博物館
125	彩繪陶母猪	西漢	陝西咸陽市漢景帝陽陵	陝西省漢陽陵博物館
125	彩繪陶犬	西漢	陝西咸陽市漢景帝陽陵	陝西省漢陽陵博物館
126	木卧犬	西漢	江蘇泗陽縣大青墩泗水王陵	南京博物院
126	陶鴨	西漢	河南濟源市四澗溝	河南博物院
127	彩繪陶鷄	西漢	陝西咸陽市漢景帝陽陵	陝西省漢陽陵博物館
127	銅三虎噬牛扣飾	西漢	雲南晋寧縣石寨山	雲南省博物館
128	石豹鎮	西漢	江蘇徐州市獅子山楚王墓	江蘇省徐州博物館
128	錯金銅豹鎮	西漢	河北滿城縣竇綰墓	河北省博物館
129	銅二豹噬猪扣飾	西漢	雲南晋寧縣石寨山	雲南省博物館
129	銅鹿形鎮	西漢	河南陝縣後川	中國社會科學院考古研究所
130	錯金銀銅雲紋犀形尊	西漢	陝西興平市豆馬村	中國國家博物館
131	陶立熊插座	西漢	陝西興平市西吳鄉北吳村	陝西省茂陵博物館

頁碼	名稱	時代	發現地	收藏地
131	銅魚杖頭	西漢	雲南江川縣李家山	雲南省江川縣李家山考古工作站
132	銅三孔雀扣飾	西漢	雲南晋寧縣石寨山	雲南省博物館
132	彩繪陶翼獸	西漢	陝西西安市十里鋪	陝西省西安市文物保護考古所
133	陶鎮墓獸	西漢	陝西西安市范南村	陝西省西安市文物保護考古所
133	彩繪陶鎮墓獸	西漢	陝西西安市紅廟坡	陝西省西安市文物保護考古所
134	陶龜座鳳鳥	西漢	陝西西安市范南村	陝西省西安市文物保護考古所
134	彩繪陶負壺鳩	西漢	山東濟南市無影山	山東省濟南市博物館
135	彩繪陶負鼎鳩	西漢	山東濟南市無影山	山東省濟南市博物館

東漢（公元二五年至公元二二〇年）

頁碼	名稱	時代	發現地	收藏地
136	石雕亭長像	東漢	原立于山東曲阜市張曲村魯王墓	山東省曲阜孔廟
136	石雕門卒像	東漢	原立于山東曲阜市張曲村魯王墓	山東省石刻藝術博物館
137	石雕胡人像	東漢	山東青州市	山東省石刻藝術博物館
137	石雕李冰像	東漢	四川都江堰市	四川省都江堰市伏龍觀
138	石獅	東漢	山東嘉祥縣武宅山北麓武氏墓	山東省嘉祥縣文物管理所
139	石辟邪	東漢	立于四川雅安市姚橋高頤墓	
140	石雕力士	東漢	立于四川雅安市姚橋高頤墓	
140	石獅	東漢	原置于四川蘆山縣楊統墓	四川省蘆山縣姜公祠
141	石辟邪	東漢	原立于河南南陽市城北漢汝南太守宗資墓	河南省南陽漢畫館
142	石天禄	東漢	原立于河南南陽市城北漢汝南太守宗資墓	河南省南陽漢畫館
143	石辟邪	東漢	陝西咸陽市毛紡廠	陝西省西安碑林博物館
143	石辟邪	東漢	陝西咸陽市毛紡廠	陝西省西安碑林博物館
144	石辟邪	東漢	河南洛陽市孫旗屯	河南省洛陽古代藝術館
144	石辟邪	東漢	河南孟津縣老城鄉油坊街村	河南省孟津縣文物局
145	石雕騎馬人像	東漢	河北望都縣	中國國家博物館
146	銅騎馬人像	東漢		故宮博物院
146	綠釉陶六博俑	東漢	河南靈寶市張灣村3號墓	河南博物院
147	陶百戲俑	東漢	河南洛陽市燒溝	河南博物院
147	陶擊鼓俑	東漢	四川成都市天回山3號崖墓	四川博物院
148	石雕撫瑟俑	東漢	四川峨嵋山市雙福鄉	四川博物院

頁碼	名稱	時代	發現地	收藏地
148	陶撫琴俑	東漢	貴州興仁縣	貴州省博物館
149	陶吹簫俑	東漢	重慶市磁器口	重慶市博物館
149	陶舞蹈俑	東漢	四川遂寧市崖墓	四川博物院
150	陶説唱俑	東漢	四川成都市新都區馬家山	四川省成都市新都區文物管理所
151	陶擊鼓説唱俑	東漢	四川成都市天回山	中國國家博物館
152	石雕俳優俑	東漢	重慶鵝石堡山漢墓	重慶市博物館
152	陶坐俑	東漢	四川成都市天回山3號崖墓	四川博物院
153	石雕抱子俑	東漢	山東濟寧市	山東省博物館
153	陶哺嬰俑	東漢	四川德陽市	四川省德陽市博物館
154	陶踞坐俑	東漢	四川郫縣	四川博物院
154	陶提鞋俑	東漢	四川成都市新都區馬家山	四川省成都市新都區文物管理所
155	陶執厨俑	東漢	四川成都市新都區馬家山	四川省成都市新都區文物管理所
155	綠釉陶厨俑	東漢	山東高唐縣東固河	山東省博物館
156	石雕執鍤俑	東漢	四川峨眉山市雙福鄉	四川博物院
156	陶執箕鍤俑	東漢	四川新津縣堡子山1號磚墓	四川博物院
157	陶部曲俑	東漢	四川新津縣堡子山	四川省樂山崖墓博物館
157	陶鎮墓俑	東漢	四川成都市	四川博物院
158	石雕鎮墓俑	東漢	四川蘆山縣石馬壩	四川省蘆山縣文化館
158	石雕力士座	東漢	四川雅安市點將臺漢墓	四川博物院
159	彩繪木軺車	東漢	甘肅武威市磨嘴子48號墓	甘肅省博物館
160	銅馬車	東漢	貴州興義市萬屯	貴州省博物館
160	陶馬	東漢	四川彭山縣	南京博物院
161	銅馬	東漢	河北徐水縣防陵村2號墓	河北省保定市文物管理所
162	彩繪木馬	東漢	內蒙古鄂爾多斯市	內蒙古博物院
162	彩繪木馬	東漢	甘肅武威市磨嘴子26號墓	甘肅省博物館
163	彩繪木馬	東漢	甘肅武威市磨嘴子49號墓	甘肅省博物館
164	彩繪木牛	東漢	甘肅武威市磨嘴子	甘肅省博物館
164	彩繪陶駱駝	東漢	陝西西安市沙坡	陝西省西安市文物保護考古所
165	石羊	東漢	山東臨沂市石羊嶺	故宮博物院
165	陶母子羊	東漢	河南輝縣市百泉	故宮博物院
166	鎏金銅奔羊	東漢	河南偃師市李家村窖藏	河南博物院
166	銅雙羊飾	東漢	河北張家口市	中國國家博物館
167	鎏金銅動物	東漢	河南偃師市李家村	河南博物院
168	綠釉陶豬	東漢	河北滄縣四家村漢墓	河北省博物館

頁碼	名稱	時代	發現地	收藏地
168	陶豬	東漢	河南輝縣市百泉	故宮博物院
169	陶犬	東漢	河南輝縣市百泉	故宮博物院
169	陶犬	東漢	河南輝縣市	河南博物院
170	陶犬	東漢	河南南陽市	河南博物院
170	陶犬	東漢	四川成都市	四川大學博物館
171	醬釉陶犬	東漢	湖北宜昌市前坪18號墓	湖北省博物館
171	陶鵝	東漢	河南濟源市	河南博物院
172	陶子母鷄	東漢	四川成都市天回山3號崖墓	四川博物院
172	釉陶鴨	東漢		上海博物館
173	彩繪陶虎熊龍鳳座	東漢	四川成都市青白江區躍進村5號墓	四川省成都市文物考古研究所
174	木猴	東漢	甘肅武威市磨嘴子	中國國家博物館
174	彩繪木猴	東漢	甘肅武威市磨嘴子	甘肅省博物館
175	彩繪陶猴	東漢	陝西西安市南郊沙坡	陝西省西安市文物保護考古所
175	彩繪陶子母熊	東漢		陝西省西安市文物保護考古所
176	鎏金銅熊鎮	東漢	安徽合肥市建華窑廠工地	中國國家博物館
176	石雕蟾蜍形搖錢樹座	東漢	四川廣元市漢墓	重慶市博物館
177	陶蛙形插座	東漢	四川彭山縣	南京博物院
177	鎏金銅獸形硯盒	東漢	江蘇徐州市	南京博物院
178	彩繪陶仙鶴	東漢	四川成都市青白江區躍進村5號墓	四川省成都市文物考古研究所
178	陶仙鶴	東漢	四川成都市東山灌溉區	中國國家博物館
179	彩繪木鳩形杖首	東漢	山東日照市海曲漢墓	山東省文物考古研究所
179	彩繪木鳩形杖首	東漢	甘肅武威市磨嘴子	甘肅省博物館
180	陶翼獸	東漢	陝西咸陽市	陝西歷史博物館
180	石雕辟邪插座	東漢	四川雅安市點將臺漢墓	四川博物院
181	紅陶虎紋獨角獸	東漢	陝西勉縣長林鎮揚宅村漢墓	陝西省勉縣博物館
181	銅獨角獸	東漢	甘肅酒泉市下河清18號墓	甘肅省博物館
182	彩繪木獨角獸	東漢	甘肅武威市磨嘴子	甘肅省博物館
182	彩繪木獨角獸	東漢	甘肅武威市磨嘴子21號墓	甘肅省博物館
183	陶百花燈	東漢	河南洛陽市澗西七里河	河南省洛陽市文物工作隊
184	銅朱雀踏龜燈	東漢	山東日照市海曲漢墓	山東省文物考古研究所
184	石雕熨斗臺	東漢	河北冀州市前村	河北省衡水市文物管理所
185	石雕盤龍硯	東漢	河南南樂縣宋耿洛村	河南博物院
185	陶船	東漢	廣東廣州市先烈路	中國國家博物館

三國至南北朝（公元二二○年至公元五八九年）

頁碼	名稱	時代	發現地	收藏地
186	陶舞蹈俑	三國·蜀	重慶忠縣塗井5號崖墓	四川博物院
186	陶頂罐女俑	三國·吳	江蘇南京市栖霞山甘家巷東吳墓	南京博物院
187	青瓷翼羊	三國·吳	江蘇南京市草場門	江蘇省南京市博物館
187	釉陶鴿	三國·吳	江蘇南京市光華門外趙士岡	南京博物院
188	彩繪陶犀牛	三國·魏	河南洛陽市澗西防洪渠	河南省洛陽博物館
188	銅馬	魏晉	甘肅武威市雷臺	甘肅省博物館
189	銅奔馬	魏晉	甘肅武威市雷臺	甘肅省博物館
190	銅斧車	魏晉	甘肅武威市雷臺	甘肅省博物館
191	銅烏龜	魏晉	甘肅敦煌市七里墩	甘肅省博物館
191	銅獨角獸	魏晉	甘肅嘉峪關市新城	甘肅省博物館
192	彩繪木雕椅子腿	公元3–4世紀	新疆尼雅遺址	英國倫敦大英博物館
193	彩繪陶武士俑	西晉	河南洛陽市邙山	北京大學賽克勒考古與藝術博物館
193	彩繪陶武士俑	西晉	河南偃師市杏園墓	中國社會科學院考古研究所
194	陶持便面俑與風帽俑	西晉	湖南長沙市金盆嶺9號墓	湖南省博物館
194	陶騎馬俑	西晉	湖南長沙市金盆嶺9號墓	中國國家博物館
195	陶對坐俑	西晉	湖南長沙市金盆嶺9號墓	湖南省博物館
196	瓷男女俑	西晉	江蘇南京市	中國國家博物館
197	青瓷胡人騎獸形器	西晉		故宮博物院
198	彩繪陶鞍馬	西晉	河南鄭州市南關	河南博物院
198	青瓷獅形器	西晉	江蘇南京市板橋鎮石閘湖西晉墓	江蘇省南京市博物館
199	青瓷神獸尊	西晉	江蘇宜興市周墓墩4號墓	南京博物院
200	青瓷熊形器	西晉	江蘇南京市江寧區秣陵街道橋南村	南京博物院
200	彩繪陶鎮墓獸	西晉	河南偃師市杏園	中國社會科學院考古研究所
201	青瓷鎮墓獸	西晉	江蘇南京市板橋鎮石閘湖西晉墓	江蘇省南京市博物館
201	青瓷羊形燭臺	西晉	湖北鄂州市	湖北省鄂州市博物館
202	陶武士俑	東晉	江蘇南京市富貴山	南京博物院
202	陶武士俑	東晉	江蘇南京市郎家山墓葬	江蘇省南京市博物館
203	陶男侍俑	東晉	江蘇南京市幕府山墓	江蘇省南京市博物館
203	陶女俑	東晉	江蘇南京市堯化門東晉墓	江蘇省南京市博物館

頁碼	名稱	時代	發現地	收藏地
204	陶胡人俑	東晉	江蘇南京市富貴山	江蘇省南京市博物館
204	銅持蓮花俑	東晉	湖南津市市孽龍崗磚室墓	湖南省博物館
205	陶馬	東晉	江蘇南京市象山	江蘇省南京市博物館
205	青瓷臥羊形插器	東晉	江蘇南京市象山	江蘇省南京市博物館
206	陶鎮墓獸	東晉	江蘇南京市砂石山	南京博物院
206	彩繪陶騎馬樂俑	十六國	陝西咸陽市秦都區平陵鄉	陝西省咸陽市文物考古研究所
207	彩繪陶女樂俑	十六國	陝西咸陽市秦都區平陵鄉	陝西省咸陽市文物考古研究所
207	木男俑	十六國	新疆吐魯番市哈拉和卓	新疆維吾爾自治區博物館
208	木馬與牽馬俑	十六國・前秦	甘肅高臺縣許三灣墓地	甘肅省高臺縣博物館
209	石馬	十六國・夏	陝西西安市查家寨	陝西省西安碑林博物館
210	釉陶鎧馬	十六國	陝西咸陽市秦都區平陵鄉	陝西省咸陽市文物考古研究所
210	彩繪木馬	十六國	新疆吐魯番市阿斯塔那22號墓	新疆維吾爾自治區博物館
211	石男俑	南朝	江蘇南京市靈山墓	江蘇省南京市博物館
211	石男俑	南朝	江蘇南京市靈山墓	江蘇省南京市博物館
212	陶男侍俑	南朝	江蘇南京市堯化門墓	江蘇省南京市博物館
212	陶高髻女俑	南朝	江蘇南京市西善橋	南京博物院
213	陶女俑	南朝	江蘇南京市前新塘墓	江蘇省南京市博物館
213	陶武士俑	南朝	江蘇徐州市獅子山	江蘇省徐州博物館
214	彩繪陶男俑	南朝	江蘇銅山縣茅村鄉內華村磚室墓	江蘇省徐州博物館
214	彩繪陶女俑	南朝	江蘇銅山縣茅村鄉內華村磚室墓	江蘇省徐州博物館
215	石馬	南朝	江蘇南京市燕子磯墓	江蘇省南京市博物館
215	陶馬	南朝	江蘇南京市幕府山	南京博物院
216	陶牛車	南朝	江蘇南京市砂石山墓葬	中國國家博物館
216	滑石豬	南朝	江蘇南京市象山	南京博物院
217	石麒麟	南朝・宋	江蘇南京市江寧區麒麟鎮	
218	石麒麟	南朝・齊	江蘇丹陽市胡橋鎮獅子灣	
219	石麒麟	南朝・齊	江蘇丹陽市雲陽鎮田家村	
220	石麒麟	南朝・齊	江蘇丹陽市胡橋鎮仙塘灣	
220	石麒麟	南朝・梁	江蘇丹陽市雲陽鎮三城巷	
221	石辟邪	南朝・梁	江蘇南京市煉油廠	
222	石辟邪	南朝・梁	江蘇南京市栖霞區甘家巷	
222	石辟邪	南朝・梁	江蘇南京市栖霞區甘家巷	
223	石辟邪	南朝・梁	江蘇南京市栖霞區十月村	
224	石柱	南朝・梁	江蘇南京市栖霞區甘家巷	

頁碼	名稱	時代	發現地	收藏地
225	石辟邪	南朝·梁	江蘇句容市華陽鎮石獅溝村	
225	石麒麟	南朝·梁	江蘇丹陽市雲陽鎮	
226	石麒麟	南朝·陳	江蘇南京市栖霞區新合村	
227	彩繪陶武士俑	北魏	河北景縣封氏墓	中國國家博物館
227	彩繪陶侍俑	北魏	河北景縣封氏墓	中國國家博物館
228	陶風帽俑	北魏	河北景縣封氏墓	中國國家博物館
228	彩繪陶持劍武官俑	北魏	河南洛陽市盤龍冢村元邵墓	河南省洛陽博物館
229	彩繪陶武士俑	北魏	河南洛陽市盤龍冢村元邵墓	中國國家博物館
229	彩繪陶侍俑	北魏	河南洛陽市盤龍冢村元邵墓	中國國家博物館
230	彩繪陶籠冠騎馬俑	北魏	河南洛陽市盤龍冢村元邵墓	河南省洛陽博物館
230	彩繪陶騎馬俑	北魏	山西大同市水泊寺鄉曹夫樓村宋紹祖墓	山西省考古研究所
231	陶武士俑	北魏	山西大同市石家寨村司馬金龍墓	山西省大同市博物館
231	彩繪陶持弓武士俑	北魏	陝西西安市草廠坡	陝西歷史博物館
232	陶騎馬吹角俑	北魏	陝西西安市草廠坡	陝西歷史博物館
232	彩繪陶女樂俑	北魏	陝西西安市草廠坡	中國國家博物館
233	陶騎馬武士俑	北魏	陝西西安市草廠坡	中國國家博物館
234	陶武士俑	北魏	內蒙古呼和浩特市	內蒙古博物院
235	陶馬俑	北魏	河北景縣封氏墓	中國國家博物館
236	陶馬	北魏	河南洛陽市盤龍冢村元邵墓	河南省洛陽博物館
236	彩繪陶馬	北魏	河南偃師市南蔡莊鄉	河南省洛陽市文物工作隊
237	醬黑釉陶馬	北魏	山西大同市石家寨村司馬金龍墓	山西省大同市博物館
237	彩繪陶牛	北魏	山西大同市水泊寺鄉曹夫樓村宋紹祖墓	山西省考古研究所
238	彩繪陶鎮墓獸	北魏	河南洛陽市盤龍冢村元邵墓	中國國家博物館
238	陶鎮墓獸	北魏	河南洛陽市盤龍冢村元邵墓	河南省洛陽博物館
239	石浮雕捧蓮蕾童子	北魏	山西大同市永固陵	山西省大同市博物館
239	石浮雕銜珠孔雀	北魏	山西大同市永固陵	山西省大同市博物館
240	石雕奏樂天人龍虎蓮花柱礎	北魏	山西大同市石家寨村司馬金龍墓	山西博物院
241	石雕龍虎蓮花忍冬柱礎	北魏	山西大同市石家寨村司馬金龍墓	山西省大同市博物館
241	石硯	北魏	山西大同市	山西省大同市博物館
242	彩繪陶武士俑	東魏	河北磁縣孟莊村元良墓	河北省磁縣文物保管所
242	彩繪陶武士俑	東魏	河北磁縣大冢營村茹茹公主墓	河北省磁縣文物保管所
243	彩繪陶馬	東魏	河北磁縣大冢營村茹茹公主墓	河北省磁縣文物保管所
244	彩繪陶駱駝	東魏	河北磁縣大冢營村茹茹公主墓	河北省磁縣文物保管所
244	彩繪陶鎮墓獸	東魏	河北磁縣大冢營村茹茹公主墓	河北省邯鄲市博物館

頁碼	名稱	時代	發現地	收藏地
245	石雕立獸	西魏	陝西富平縣西魏文帝永陵	陝西省西安碑林博物館
245	瓷人面鎮墓獸	西魏	陝西漢中市崔家營西魏墓	陝西歷史博物館
246	彩繪陶文吏俑	北齊	河北磁縣灣漳村北朝墓	中國社會科學院考古研究所
246	彩繪陶按盾武士俑	北齊	河北磁縣灣漳村北朝墓	中國社會科學院考古研究所
247	彩繪陶甲騎具裝俑	北齊	河北磁縣灣漳村北朝墓	中國社會科學院考古研究所
247	彩繪陶踞坐俑	北齊	河北磁縣灣漳村北朝墓	中國社會科學院考古研究所
248	彩繪陶舞蹈俑	北齊	河北磁縣灣漳村北朝墓	中國社會科學院考古研究所
249	陶按盾武士俑	北齊	河北平山縣上三汲村崔昂墓	河北省博物館
249	彩繪陶按盾武士俑	北齊	山東濟南市東八里窪	山東省文物考古研究所
250	彩繪陶騎馬武士俑	北齊	河北磁縣東槐樹村高潤墓	河北省磁縣文物保管所
250	彩繪陶騎馬武士俑	北齊	山西太原市王郭村婁叡墓	山西省考古研究所
251	彩繪陶騎馬文吏俑	北齊	山西太原市王郭村婁叡墓	山西省考古研究所
251	彩繪陶女俑	北齊	山西太原市王郭村婁叡墓	山西省考古研究所
252	彩繪陶彈琵琶俑	北齊	山西壽陽縣庫狄回洛墓	中國國家博物館
252	彩繪陶舞蹈胡俑	北齊	山西壽陽縣賈家莊	山西省考古研究所
253	陶馬	北齊	山西太原市王郭村婁叡墓	山西省考古研究所
254	彩繪陶馬	北齊	河北磁縣灣漳村	中國社會科學院考古研究所
254	彩繪陶馬	北齊	河南安陽市洪河屯村範粹墓	河南博物院
255	陶牛	北齊	山西太原市王郭村婁叡墓	山西省考古研究所
256	彩繪陶牛車	北齊	山西太原市張肅俗墓	中國國家博物館
256	彩繪陶駱駝	北齊	河北磁縣灣漳村	中國社會科學院考古研究所
257	彩繪陶駱駝	北齊	山西太原市張肅俗墓	中國國家博物館
258	彩繪陶駱駝	北齊	山西太原市王郭村婁叡墓	山西省考古研究所
258	彩繪陶鎮墓獸	北齊	河北磁縣灣漳村北朝墓	中國社會科學院考古研究所
259	陶獅面鎮墓獸	北齊	河北磁縣東槐樹村高潤墓	河北省磁縣文物保管所
259	陶人面鎮墓獸	北齊	河北磁縣東槐樹村高潤墓	河北省磁縣文物保管所
260	彩繪陶人面鎮墓獸	北齊	河北磁縣東陳村堯峻墓	河北省磁縣文物保管所
260	彩繪陶獅面鎮墓獸	北齊	河北磁縣東陳村堯峻墓	河北省磁縣文物保管所
261	彩繪陶鎮墓俑	北齊	山西太原市王郭村婁叡墓	山西省考古研究所
261	陶鎮墓神獸	北齊	山西太原市王郭村婁叡墓	山西省考古研究所
262	彩繪陶騎馬武士俑	北周	陝西西安市咸陽國際機場宇文儉墓	陝西省考古研究院
262	彩繪陶甲馬騎俑	北周	陝西咸陽市北周武帝孝陵	陝西省考古研究院
263	彩繪陶風帽俑	北周	陝西咸陽市北周武帝孝陵	陝西省考古研究院
263	彩繪陶武士俑	北周	寧夏固原市開城鎮王澇壩村宇文猛墓	寧夏回族自治區固原市博物館

頁碼	名稱	時代	發現地	收藏地
264	彩繪陶甲馬騎俑	北周	寧夏固原市清河鎮深溝村李賢夫婦合葬墓	寧夏回族自治區固原博物館
264	彩繪陶鎮墓獸	北周	陝西咸陽市北周武帝孝陵	陝西省考古研究院
265	陶駱駝	北周	寧夏固原市清河鎮深溝村李賢夫婦合葬墓	寧夏回族自治區固原博物館
265	陶臥羊	北朝	山西太原市北堰村	山西博物院
266	銅牛車	北朝		廣東省深圳博物館
266	木雕連體雙鳥	北朝	新疆洛浦縣城西南山普拉古墓群	新疆文物考古研究所

陶人頭像
裴李崗文化
河南新密市莪溝村北崗出土。
高3.6、寬3.1厘米。
額部突出，凹眼，肥鼻，面頰肌肉豐滿下垂。
現藏河南省文物考古研究所。

陶人頭
雙墩文化
安徽蚌埠市小蚌埠鎮雙墩村出土。
高6.3厘米。
前額中央有圓圈狀紋飾。左耳殘缺，右耳有一穿孔。粗
眉，高直鼻，眼、口皆刻劃而成。雙頰豐滿，左右兩側
各刺五個小孔，如同鬍鬚。
現藏安徽省蚌埠市博物館。

陶豬頭

上宅文化
北京平谷區上宅出土。
長8.2厘米。
口部以陰綫刻劃。
現藏首都博物館。

陶人頭像

河姆渡文化
浙江餘姚市河姆渡遺址出土。
左高4、右高4.5厘米。
左人頭像臉形長圓，前額突出，高顴骨，以陰綫刻劃
眼、口部。右人頭像額部前突，高顴骨，張口，中空。
現藏浙江省博物館。

陶猪

河姆渡文化

浙江餘姚市河姆渡遺址出土。

長6.7厘米。

猪爲捏塑。頭部下低，四足蹬地，作疾走狀。

現藏中國國家博物館。

陶人頭像

仰韶文化

陝西安康市柳家河出土。

高10厘米。

兩眼扁圓內凹，眉弓呈弧形。鼻梁挺直，兩翼明晰。嘴巴大凹張開，上唇翹揚，耳廓下部有一小孔。

現藏陝西省考古研究院。

骨雕人頭像

仰韶文化

陝西西鄉縣何家灣出土。

高2.3厘米。

以獸肢骨雕成。頭頂部磨平，額短，眼珠凸起，兩耳以綫刻表現，頸部以下殘缺。

現藏陝西省考古研究院。

陶人頭形壺口（右圖）

仰韶文化

陝西商洛市商州區出土。

人頭高7.8厘米。

人物面部光滑細膩，口、眼部透空與壺內相通，頭髮以小泥釘層叠排列而成。

現藏陝西省西安半坡博物館。

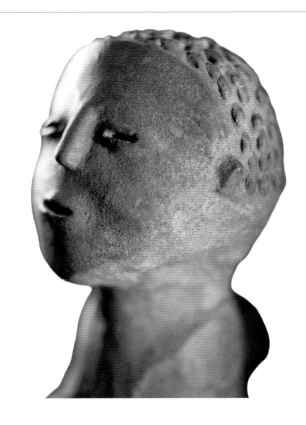

陶鴞面

仰韶文化

陝西華縣泉護村出土。

直徑14.1厘米。

正面塑出鼓起的雙目和喙，頭部上方有雙耳殘迹。

現藏北京大學賽克勒考古與藝術博物館。

陶鶚形鼎

仰韶文化

陝西華縣太平莊出土。

高35.8厘米。

鶚鼎以雙足和下垂的鶚尾構成三足。

現藏中國國家博物館。

陶蛙

仰韶文化

陝西西安市臨潼區姜寨出土。

高7.3、長8.6厘米。

蛙昂頭張口，四爪巨大。

現藏陝西省西安半坡博物館。

陶豬頭（右圖）

仰韶文化

河南淅川縣宋灣鄉下王崗出土。

殘高9厘米。

爲陶器蓋上捉手。豬頭昂起，上唇扁平，下顎殘。

現藏河南省文物考古研究所。

彩陶人頭形瓶

仰韶文化

甘肅秦安縣大地灣出土。

瓶高31.8厘米。

人頭圓雕，披髮，眼、鼻孔和嘴均鏤空，耳有孔。

現藏甘肅省博物館。

彩陶人頭形瓶口正面

彩陶人頭形瓶口側面

陶鳥形器蓋

大溪文化

湖北松滋市桂花樹遺址出土。

高12.7、器口直徑11.7厘米。

器蓋呈漏斗形，柱頂歇一鳥。

現藏湖北省荊州博物館。

陶人頭形瓶

仰韶文化

甘肅秦安縣寺嘴村出土。

瓶高26、口徑6.5厘米。

人頭圓雕，眼爲雕空的小圓孔，鼻微微上翹，嘴向内刻

成凹洞，呈微張狀。

現藏甘肅省秦安縣文化館。

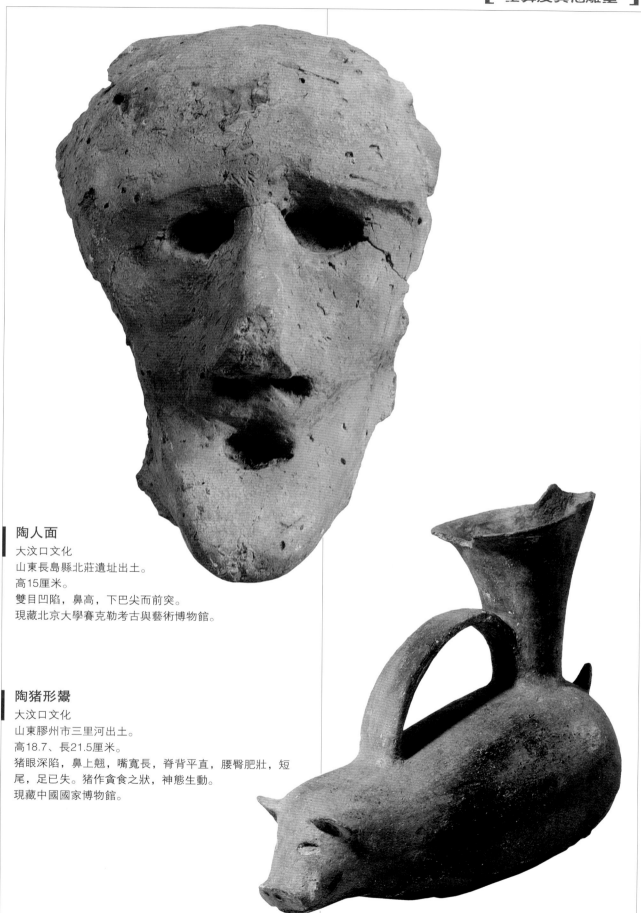

陶人面

大汶口文化

山東長島縣北莊遺址出土。

高15厘米。

雙目凹陷，鼻高，下巴尖而前突。

現藏北京大學賽克勒考古與藝術博物館。

陶豬形鬶

大汶口文化

山東膠州市三里河出土。

高18.7、長21.5厘米。

豬眼深陷，鼻上翹，嘴寬長，脊背平直，腰臀肥壯，短尾，足已失。豬作貪食之狀，神態生動。

現藏中國國家博物館。

陶獸形壺

大汶口文化

山東泰安市大汶口出土。

高21.6、長22厘米。

器形似豬。獸體肥、拱鼻、張口、短尾上翹，耳穿小孔，背部裝有提手，尾根爲一筒形，可受水，口部可注水。

現藏山東省博物館。

陶人首

馬家窯文化
甘肅臨夏巿徵集。
高5.5、寬6.5厘米。
原應為器蓋鈕。面部塗黑彩，繪眼淚和鼻涕，人面呈痛苦狀。
現藏甘肅省臨夏回族自治州博物館。

石人像

紅山文化
內蒙古巴林右旗巴彥漢蘇木那日斯臺遺址出土。
高19.4厘米。
石人頭部呈菱形，眉、眼下垂，雙手合掌于胸前，跪坐。頭頂三層圓盤式裝飾。
現藏內蒙古自治區巴林右旗博物館。

陶捏塑雙性裸體人像

馬家窯文化

青海樂都縣柳灣出土。

陶壺高33.4厘米。

彩陶壺表面捏塑雙性裸體人像。人體站立，雙手置于腹前，乳頭用黑彩點繪，下腹部塑造出男女兩性生殖器官。

現藏中國國家博物館。

陶蛙形罐

馬家窯文化

甘肅臨夏市出土。

高6.5、口徑5.7、底徑7-8厘米。

兩罐均作蹲伏的蛙形。

現藏甘肅省博物館。

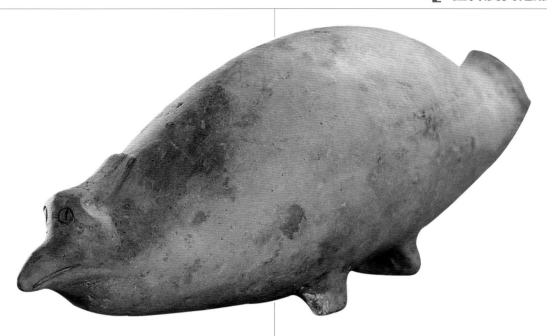

陶水鳥形壺

良渚文化

江蘇吳江市梅埝遺址出土。

高11.7、長32.4厘米。

壺作圓胖的水鳥狀。水鳥扁尖嘴，雙目渾圓，中刻竪綫
爲睛，尾部爲流口。

現藏南京博物院。

陶人像

石家河文化

湖北天門市鄧家灣出土。

高8.7–9.7厘米。

一跽坐，雙臂下垂，手握圓棍狀物兩端。一跪坐，雙臂
交于腹部，手握一齒狀物。二陶人面部五官未具體
塑出。

現藏湖北省荆州博物館。

新石器時代（公元前八〇〇〇年至公元前二〇〇〇年）

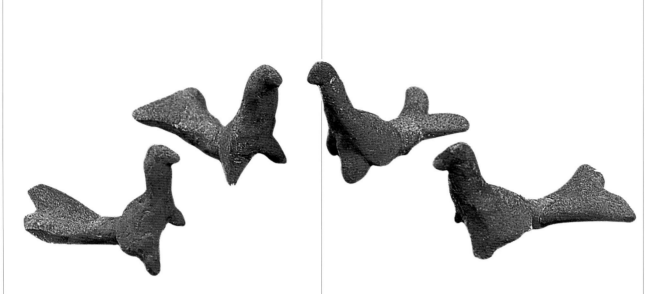

陶鳥
石家河文化
湖北天門市鄧家灣出土。
高3.4-4.8、長6.8-7.8厘米。
頭部揚起，雙足直立，長尾。
現藏湖北省荊州博物館。

陶狗
石家河文化
湖北天門市鄧家灣出土。
高4.8-5.8、長6.8-8厘米。
有的昂首竪耳，有的神態溫順，有的背上站立一短尾鳥。
現藏湖北省荊州博物館。

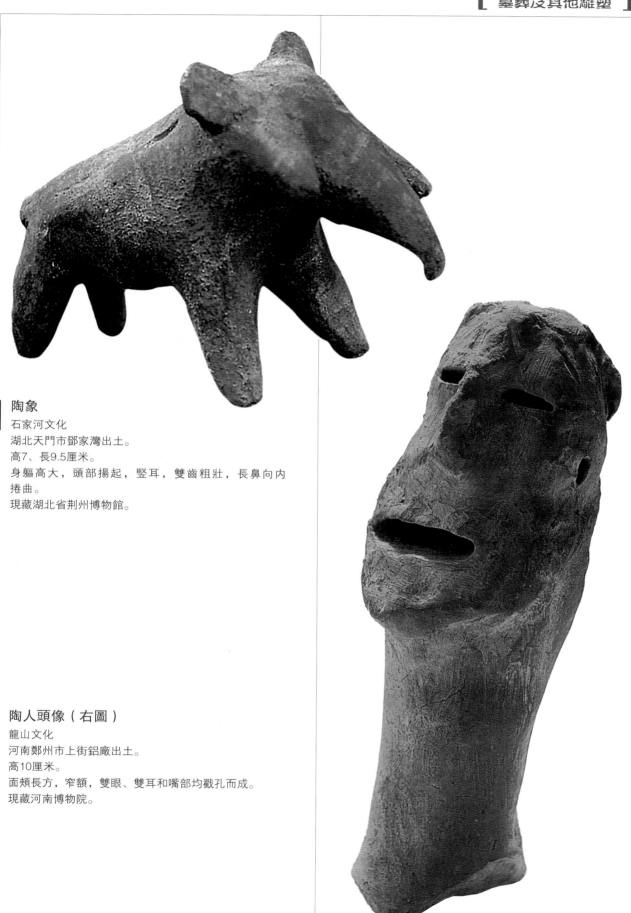

陶象

石家河文化

湖北天門市鄧家灣出土。

高7、長9.5厘米。

身軀高大，頭部揚起，豎耳，雙齒粗壯，長鼻向內捲曲。

現藏湖北省荊州博物館。

陶人頭像（右圖）

龍山文化

河南鄭州市上街鋁廠出土。

高10厘米。

面頰長方，窄額，雙眼、雙耳和嘴部均戳孔而成。

現藏河南博物院。

新石器時代（公元前八〇〇〇年至公元前二〇〇〇年）

陶人頭像

齊家文化

甘肅禮縣高寺頭村出土。
高12.5、寬8.8厘米。
爲陶器殘存的口沿。額前至腦後塑有半圈凸起的帶狀泥條。眉部隆起，眼和嘴雕空。鼻呈三角形，兩耳垂處各有一小孔。
現藏甘肅省博物館。

陶水鳥形器
齊家文化
甘肅康樂縣蘇集鄉出土。
高9.8、長24厘米。
水鳥頸細長，有蹼足。尾部爲筒形口。
現藏甘肅省臨夏回族自治州博物館。

紅陶鳥形器
齊家文化
甘肅廣河縣嘴上村出土。
高10、 長15厘米。
器爲鳥形。鳥嘴部殘，圓眼以綫刻出，身子兩側有突起
的寬翅，扁寬的尾部略向上翹，身下有兩扁柱狀足。
現藏甘肅省博物館。

新石器時代（公元前八〇〇〇年至公元前二〇〇〇年）

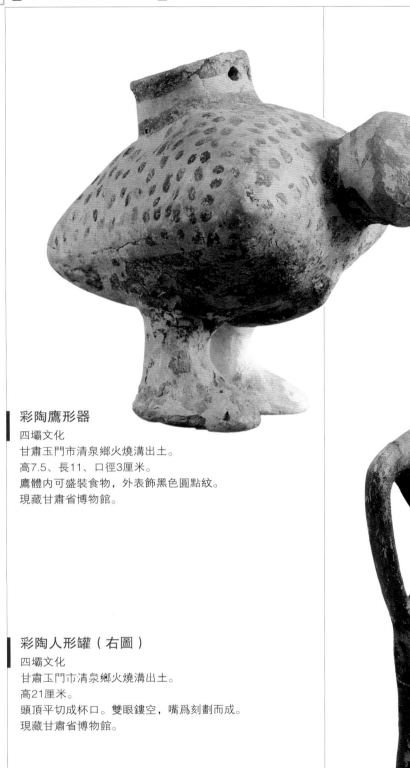

彩陶鷹形器
四壩文化
甘肅玉門市清泉鄉火燒溝出土。
高7.5、長11、口徑3厘米。
鷹體內可盛裝食物，外表飾黑色圓點紋。
現藏甘肅省博物館。

彩陶人形罐（右圖）
四壩文化
甘肅玉門市清泉鄉火燒溝出土。
高21厘米。
頭頂平切成杯口。雙眼鏤空，嘴爲刻劃而成。
現藏甘肅省博物館。

陶人面形器蓋

商

河北藁城市臺西村出土。

高3.5、口徑7.6厘米。

器頂略凸，呈人頭頂形。自額際向下分成四瓣，成蒂形。每瓣雕一人面，微向上仰，雙目圓睛陰刻，鼻上翹，薄唇微張。

現藏河北省文物研究所。

陶奴隸像

商

河南安陽市小屯村出土。

高5.5-6.1厘米。

均爲盤髮戴枷的受刑奴隸形象。男像枷手于背，女像枷手于前。形象比較粗略，僅捏塑出五官及身體大樣。

現藏臺北"中央研究院歷史語言研究所"。

商至戰國（公元前十六世紀至公元前二二一年）

銅人面具
商
河南安陽市武官北地1400號墓出土。
通高25.4厘米。
人頭頂上有一個半環鈕。
現藏臺北"中央研究院歷史語言研究所"。

石人像（右圖）
商
河南安陽市小屯村婦好墓出土。
高9.5厘米。
向後束髮，戴寬頬，臉形瘦長，粗眉大眼，高顴骨，
大鼻，雙唇突出，裸體，腹部垂蔽膝。雙手撫膝跪坐
于地。
現藏中國國家博物館。

銅羊形觥

商

高15.4厘米。

羊首及背爲觥蓋，蓋中脊浮雕龍、鳥，兩側飾獸面紋。

器身滿飾鳳紋，以雲雷紋襯地。

現藏日本藤田美術館。

石牛

商

河南安陽市小屯村婦好墓出土。

高14、長25厘米。

前肢跪地，後肢前屈，短尾下垂。下頜部刻"后幸"

二字。

現藏中國國家博物館。

銅牛形觥

商

湖南衡陽市出土。

高14、長19厘米。

牛頭和背爲觥蓋，中間飾立虎形鈕，後飾獸面

紋。器身以雲雷紋襯地，遍飾鳳紋和龍紋。

現藏湖南省博物館。

銅牛形觥

商

高16.6厘米。

牛首及背爲觥蓋，中脊飾一立龍爲鈕。

現藏美國哈佛大學藝術博物館。

石虎

商

河南安陽市小屯村出土。

高1.2、長4.5厘米。

紅褐色石料，以石料條狀斑紋巧妙地表現虎身的花紋。

虎作疾行之狀，下頦有圓孔，可佩帶。

現藏中國社會科學院考古研究所。

陶虎

商

河南鄭州市二里崗出土。

高5.5、長7.5厘米。

臥伏于地。陰綫刻劃眼、鼻、口部。瞠目，張口露齒，
無耳，背部及前肢刻有虎斑紋。胸部有圓穿孔。腹空。

現藏河南博物院。

陶虎

商

四川成都市青羊宮出土。

高8、長16.7厘米。

頭大眼圓，口大張作怒吼狀。身體甚長，尾短，四肢粗
短有力，全身布滿象徵皮毛的陰綫條紋。

現藏四川博物院。

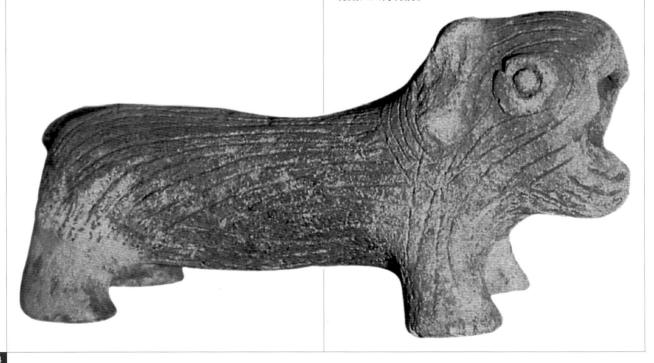

銅雙尾虎

商

江西新干縣大洋洲出土。

高25.5、長53.5厘米。

內腔中空，雙目圓鼓凸起，身飾雲雷紋，背上伏一鳥。

現藏江西省博物館。

銅象形尊

商

高64、長96厘米。

象鼻上捲以爲流，象背開口。象額頂兩側凸起，飾龍紋，鼻飾鱗紋，腹飾獸面紋。

現藏法國巴黎吉美術館。

銅象形尊

商

湖南醴陵市獅形山出土。

高22.8、長26.5厘米。

尊以象的長鼻作爲流口，流口頂端作鳳首形，冠上伏
有一虎。

現藏湖南省博物館。

銅豕形尊

商

湖南湘潭市船形山出土。

高40、長72厘米。

尊背上開口，蓋立鳳鳥形鈕。豕口側有獠牙，首飾雲紋，頷下飾獸面紋，腹、背飾鱗紋，四足飾龍紋，以雷紋襯地，前後肘部橫穿一圓孔管。

現藏湖南省博物館。

銅犀形尊

商

原山東壽張縣梁山出土。

高22.9、長37厘米。

犀牛形器。牛背開口，蓋已失。

現藏美國舊金山亞洲藝術博物館。

商至戰國（公元前十六世紀至公元前二二一年）

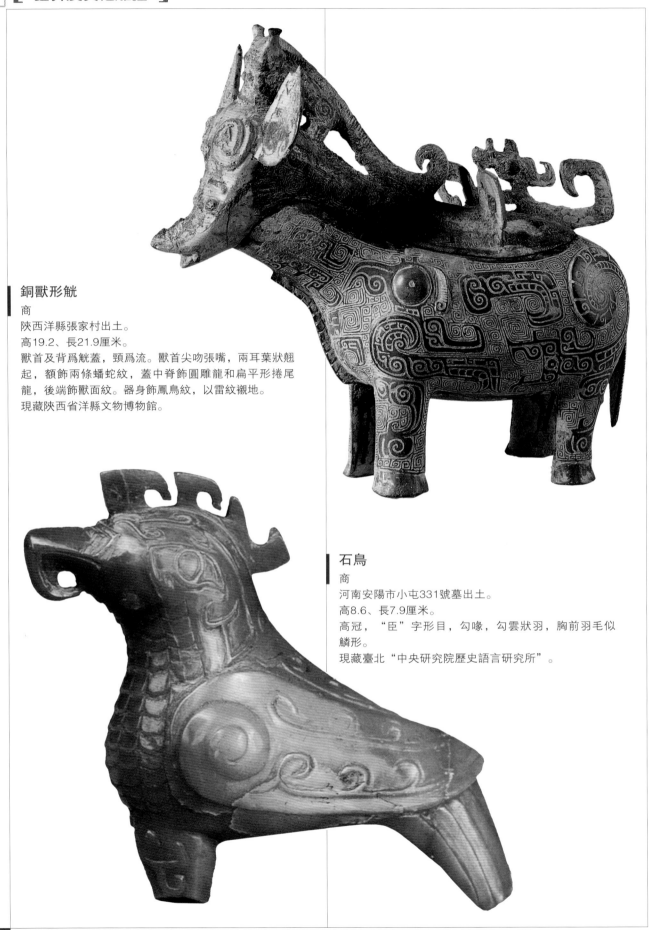

銅獸形觥

商

陝西洋縣張家村出土。

高19.2、長21.9厘米。

獸首及背爲觥蓋，頸爲流。獸首尖吻張嘴，兩耳葉狀翹
起，額飾兩條蟠蛇紋，蓋中脊飾圓雕龍和扁平形捲尾
龍，後端飾獸面紋。器身飾鳳鳥紋，以雷紋襯地。

現藏陝西省洋縣文物博物館。

石鳥

商

河南安陽市小屯331號墓出土。

高8.6、長7.9厘米。

高冠，"臣"字形目，勾喙，勾雲狀羽，胸前羽毛似
鱗形。

現藏臺北"中央研究院歷史語言研究所"。

銅持環人像

西周

陝西寶雞市茹家莊西周墓出土。

高11.6厘米。

頭戴"山"字形髮飾，半身，着對襟袍服。

現藏陝西省寶雞市博物館。

銅男相人像（上圖）

西周

陝西寶雞市茹家莊西周墓出土。

高17.9厘米。

禿頂，身着長袍，高領窄袖，腰
束寬帶，前腹懸長條形蔽膝。雙
臂舉至右肩，兩手似有所握，衣
下緣有方孔。

現藏陝西省寶雞市博物館。

商至戰國（公元前十六世紀至公元前二二一年）

銅踞坐人像

西周

安徽黃山市屯溪區弈棋西周墓出土。

左像高14.4、右像高15.3厘米。

雙手上舉，似托舉物件。身材較矮，且裸
體無飾。

現藏安徽省博物館。

銅駒形尊

西周

陝西眉縣李村出土。

高32.4、長34厘米。

腹空，口開于背，上有獸鈕蓋。胸前鑄銘文九十四字。

現藏中國國家博物館。

銅牛形尊

西周

陝西岐山縣賀家村出土。

高24、長38厘米。

牛舌伸出成尊流。背上開口，蓋圓雕虎鈕，蓋、器以環
鏈相連。尾捲成環形。通體以雷紋襯地，蓋飾龍紋，體
飾獸目交連紋與獸體捲曲紋。

現藏陝西歷史博物館。

銅豕形尊

西周

山西曲沃縣晋侯墓地113號墓出土。

高22.4、長39厘米。

豕吻部略上翹，嘴角出獠牙，雙耳斜聳，背脊有鬃，尾
上捲。背上有圓形口，上有蓋，蓋有圓形捉手。

現藏山西省考古研究所。

銅虎形尊

西周
傳陝西寶雞市出土。
高25.2、長75.2厘米。
背有長方形口。
現藏美國華盛頓弗利爾美術館。

銅虎形尊

西周
湖北江陵縣江北農場出土。
高21.8、長35厘米。
脊起扉棱，背中部開口，蓋與器身以鳥形鈕相連，四肢
根部飾渦紋，腹飾網格紋，餘飾虎斑紋。
現藏湖北省荊州博物館。

銅貘形尊

西周

陝西寶雞市茹家莊2號墓出土。

高18.6、長30.8厘米。

貘背中部開方形口，蓋有立虎形鈕，尾成半環形，四肢根部均飾渦形屈體獸紋。

現藏陝西省寶雞市博物館。

銅象形尊

西周

陝西寶雞市茹家莊1號墓乙室出土。

高23.6、長37.8厘米。

象背中部開長方形口，蓋飾二環鈕，有鏈與器相連。蓋面飾蛇紋，象身飾渦形鳳鳥紋，間飾三角紋。

現藏陝西省寶雞市博物館。

商至戰國（公元前十六世紀至公元前二二一年）

銅獸形尊

西周

陝西西安市長安區張家坡出土。

高38.8、長41.4厘米。

獸背中部有橢方形器口，蓋立鳳鳥形鈕。獸頭頂圓雕立虎，胸前與臀部圓雕回首形龍，腹中部起扉棱。胸飾龍紋、虎紋，腹、臀飾龍紋，通體以雷紋襯地。

現藏中國社會科學院考古研究所。

銅爬龍 （右圖）

西周

陝西扶風縣召公鎮海家村出土。

長60厘米。

勾首垂腰捲尾做爬行狀，四肢殘。體飾圓渦紋、弦紋、斜方格紋、雲紋等。脊起扉棱。當爲一大型器物之附件。

現藏陝西省扶風縣博物館。

銅鳳鳥形尊

西周

傳山西倗國墓地出土。

高49、身長41厘米。

鳳鳥背部設置圓拱形器蓋，蓋上亦挺立一隻小鳳鳥。

大小鳳鳥通身均裝飾鱗狀羽紋等紋樣。

現藏北京市保利藝術博物館。

銅鳥形尊

西周
山西曲沃縣晋侯墓地114號墓出土。
高39、殘長30.5厘米。
鳥背依形設蓋，蓋鈕爲小鳥形。鳳尾下設一象首。
現藏山西省考古研究所。

銅鳥形尊

西周

陝西寶雞市茹家莊1號墓乙室出土。

高23.5、長31.2厘米。

器作立鳥狀，後腹下衍出一足，尾長方形，兩側階梯
狀。背開長方形口，通飾羽紋。

現藏陝西省寶雞市博物館。

銅牛形尊

春秋

山西渾源縣李峪村出土。

高33.7、長58.7厘米。

此尊背上有三穴。

現藏上海博物館。

木雕臥馬

春秋

陝西鳳翔縣秦公1號墓出土。

通體髹黑漆。

現藏陝西省考古研究院。

銅神獸

春秋

河南淅川縣徐家嶺9號墓出土。

高48厘米。

神獸爲龍首，虎身，龜足。龍首吐舌，兩頰飾柿蒂形花，頭頂以六條糾結龍形構成龍角。虎身長頸，飾龍、鳳、虎等類紋飾。背開方孔，插有曲體器架，架上亦有一龍首虎身異獸，口銜一龍，龍頸部有鈕，獸體腹下亦有一鈕。通體鑲嵌孔雀石。

現藏河南省文物考古研究所。

銅鳥形尊

春秋

山西太原市出土。

高25.3厘米。

尊作立鳥形。鳥喙可開合，尾下有虎形支脚，通身飾羽紋。

現藏山西省考古研究所。

陶騎馬俑

戰國

陝西咸陽市渭城區塔爾坡出土。

高22.5厘米。

騎馬俑頭戴風帽，手作握繮狀。

現藏陝西省咸陽市文物考古研究所。

陶樂舞俑

戰國

山西長治市分水嶺出土。

高5厘米。

一組九件，均坐姿。有的彈奏樂器，有的展臂舞蹈。

現藏山西博物院。

銅犧背立人擎盤

戰國

山西長治市分水嶺出土。

高14.5、犧長18厘米。

犧脊立人。立人長髮披肩，身着長袍。手持圓環，內插
盤柱。盤壁鏤空。犧身飾鱗紋、繩索紋和捲雲紋等。

現藏山西博物院。

銅人像

戰國

河北易縣武陽臺鄉高陌村出土。

高25.8、寬13厘米。

頭戴巾，髮中分後梳，身穿右衽尖領窄袖長袍，後領作方形，頸及背上部裸露，腰間束帶，用長帶鈎連接。

現藏河北省文物研究所。

漆繪銅跽坐人形燈

戰國

河南三門峽市上村嶺出土。

高48.9厘米。

人物跽坐，偏髻，有簪，束冠。着長袍，束寬腰帶，帶前有鈎，兩手捧持叉形燈柱，柱頂有環形燈盤。

現藏河南博物院。

漆繪木俑

戰國

河南信陽市長臺關出土。

高64厘米。

俑體髹黑漆，面部與手塗紅，眉、目以黑綫勾出。身着
交領長袍，其上繪有多彩飾物。背後腰間束紅、黃相間
的三角紋錦帶。衣襟間露出鮮艷內衣。

現藏河南省文物考古研究所。

鉛跪人

戰國

河南洛陽市中州路出土。

高27.6厘米。

頭頂有髻形飾物，臉扁平，鼻隆起，雙手持筒狀物，
跪坐。

現藏故宮博物院。

銅騎駝人形燈

戰國

湖北江陵縣望山出土。

高19.2、盤徑8.9厘米。

器爲一人跪騎于雙峰駱駝的背上，兩手合擎一套筒，筒内插入兩節合成的燈盤。

現藏湖北省博物館。

銅人像

戰國

湖北隨州市曾侯乙墓出土。

高116厘米。

頭戴圓冠，身着右衽長袖上衣和曳地的下裳。細腰緊束寬帶，佩劍。閉口、睜目，雙臂上舉擎編鐘架，右肘旁曲，左肘前屈，掌向後平伸。

現藏湖北省博物館。

彩繪木俑
戰國
湖北江陵縣雨臺山59號墓出土。
高30.1厘米。
由頭、身拼合組成，作站立狀。頭頂與腦後髹黑漆以爲髮，身上用紅漆繪出衣衫。
現藏湖北省文物考古研究所。

彩繪木俑
戰國
湖北江陵縣紀城1號墓出土。
高66.7厘米。
整木圓雕而成。耳、鼻、嘴爲雕製，其他部分及袍裙、衣飾、靴子則以墨描。俑作侍立狀，雙手握于胸前。
現藏湖北省文物考古研究所。

木持劍俑

戰國

湖南長沙市近郊戰國楚墓出土。

高52厘米。

頭部淺雕出五官，眉弓長而剛健，眼角上挑。身軀稍向
前傾，雙膝略彎，左手握劍柄，右手殘，原握劍鞘。
現藏湖南省博物館。

漆木俑

戰國

安徽潛山縣彭嶺32號墓出土。

高45厘米。

木俑以銀白色塗繪衣服。

現藏安徽省文物考古研究所。

銅武士俑

戰國

新疆新源縣鞏乃斯河南岸出土。

高40厘米。

頭戴尖頂帽，長臉，眉弓突出，大眼高鼻，上身裸，腰
束短裙，赤足。

現藏新疆維吾爾自治區博物館。

銅立人柄曲刃短劍劍首

戰國

內蒙古寧城縣南山根出土。

長31.7、寬4.2厘米。

劍首鑄成圓雕男女裸體立像，整體厚重。

現藏內蒙古博物院。

銅盤角羊頭形車飾

戰國

內蒙古鄂爾多斯市出土。

長20.5、高11厘米。

羊角中空，向外盤曲，口微張。

現藏內蒙古博物院。

錯金銀銅牛形插座

戰國

河北平山縣出土。

高22、長53厘米。

背有飾獸面的長方形銎，內尚存木榫。尾長直。以金綫
勾畫眼眶和眉骨。周身飾以細金綫勾邊，寬銀綫爲主體
的捲雲紋。

現藏河北省文物研究所。

銅牛形尊

戰國

河北平山縣出土。

高28、寬16厘米。

以牛口爲流，背中部有浮游鵝形蓋，短尾下垂。頸有項圈，上飾金泡。眼鑲綠松石。通身以銀、紅銅等鑲錯雲紋圖案。

現藏河北省文物研究所。

錯金銀銅牛形尊

戰國

江蘇漣水縣三里墩出土。

高27.7、長41.8厘米。

牛昂首偶蹄，尾細長。背上有蓋，上有鼻鈕。頸有項圈，飾鎏金鼓泡。通體飾錯金銀捲雲紋，鑲嵌綠松石。

現藏南京博物院。

商至戰國（公元前十六世紀至公元前二二一年）

銅馬
戰國
河北邯鄲市趙王陵2號陵出土。
高18、長24.5厘米。
馬作行走狀。
現藏河北省邯鄲市博物館。

銅馬
戰國
河北邯鄲市趙王陵2號陵出土。
高15、長22.5厘米。
馬作覓食狀。
現藏河北省邯鄲市博物館。

銅馬
戰國
山東平陰縣孝直鎮出土。
高15、長15厘米。
立姿，昂首竪耳，口微張，短尾，
身飾凸起雲紋。
現藏山東省平陰縣博物館。

銅馬
戰國
高29厘米。
馬仰首端立，竪耳鼓目，鼻孔張
大，似作激烈喘息狀。
現藏故宮博物院。

錯金銀銅虎噬鹿插座

戰國

河北平山縣出土。

高21.9、長51厘米。

猛虎食鹿造形。虎背後部與頸上各立長方形銎，飾獸
面，内尚存木榫。虎巨口張開，前爪攫鹿，小鹿腿部蜷
曲，張嘴垂頸。整器以金銀嵌錯精美花紋。

現藏河北省文物研究所。

陶虎頭形水管道

戰國

河北易縣燕下都遺址出土。

高37、長120厘米。

出水口呈虎形，張口瞪目，雙耳後竪，兩足平伸，四
爪着力。

現藏中國國家博物館。

漆木虎

戰國

湖南臨澧縣九里1號墓出土。

高39.3、長59厘米。

虎爲跪臥式，頭部浮雕捲雲紋。通體髹黑漆，并用紅、黃漆繪出虎斑紋和幾何紋圖案。

現藏湖南省博物館。

銅虎形節

戰國

長15.9、高10.7厘米。

臥虎形器扁平。一面刻"王命命傳任（賃？）"。

現藏故宮博物院。

漆木梅花鹿

戰國

湖北隨州市曾侯乙墓出土。

高77、身長45厘米。

頭身髹黑漆，并用紅漆繪梅花斑紋。頭上用紅漆繪捲雲紋、圓圈紋和幾何紋。

現藏湖北省博物館。

銅臥鹿（右上圖）

戰國

江蘇漣水縣三里墩西漢墓出土。

高53、長29.4厘米。

鹿伏臥，犄角杈，形象逼真。

現藏南京博物院。

銅雙鹿

戰國

內蒙古鄂爾多斯市速機溝徵集。

左高16.7、右高7.7厘米。

爲雌雄雙鹿，鹿腹中空。

現藏內蒙古博物院。

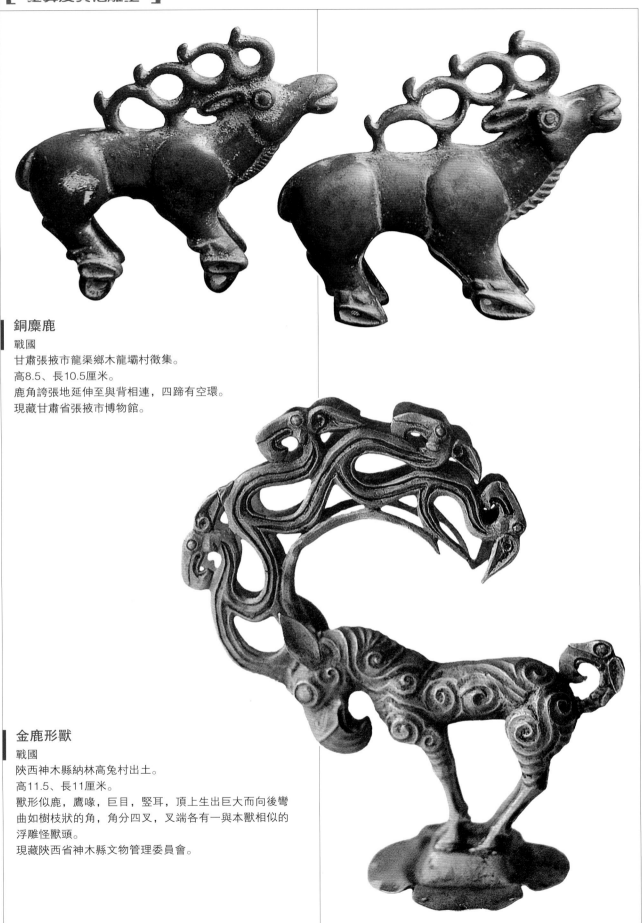

銅麋鹿
戰國
甘肅張掖市龍渠鄉木龍壩村徵集。
高8.5、長10.5厘米。
鹿角誇張地延伸至與背相連，四蹄有空環。
現藏甘肅省張掖市博物館。

金鹿形獸
戰國
陝西神木縣納林高兔村出土。
高11.5、長11厘米。
獸形似鹿，鷹喙，巨目，竪耳，頂上生出巨大而向後彎
曲如樹枝狀的角，角分四叉，叉端各有一與本獸相似的
浮雕怪獸頭。
現藏陝西省神木縣文物管理委員會。

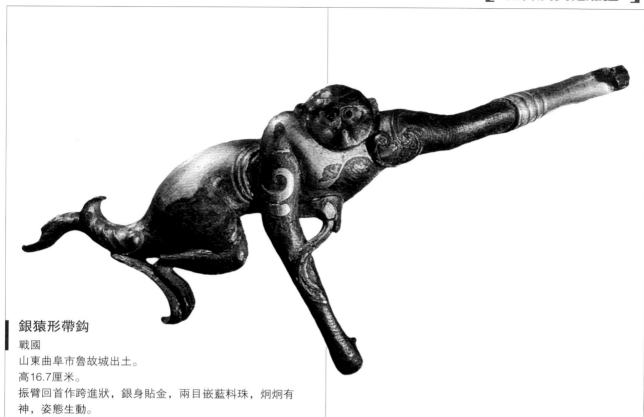

銀猿形帶鈎

戰國
山東曲阜市魯故城出土。
高16.7厘米。
振臂回首作跨進狀，銀身貼金，兩目嵌藍料珠，炯炯有
神，姿態生動。
現藏山東省博物館。

錯金銀銅犀形插座

戰國
河北平山縣出土。
高22、長55.5厘米。
尾長而挺直，屈腿偶蹄。眉骨飾金片，頭頂、額、鼻竪
角，角飾細密金綫。頸有飾金綫、銀片的項帶。通體飾
黃白相間的渦捲雲紋。
現藏河北省文物研究所。

銅鹿角立鶴

戰國

湖北隨州市曾侯乙墓出土。

高143.5厘米。

立鶴鹿角長頸，展翅垂尾，立于方形底板之上。底板四邊中部有獸鈕銜環。全器通飾錯金渦雲紋、三角紋、龍鳳紋等，并鑲嵌綠松石。

現藏湖北省博物館。

錯金銀銅雙翼神獸

戰國

河北平山縣中山王嚳墓出土。

高24、長40厘米。

二件。頭部長角，鬣毛披散，兩肋生翼，臀部隆起，四肢彎曲，利爪撐地，作昂首側向咆哮之狀。周身飾長羽紋、長毛紋和鳥紋。

現藏河北省文物研究所。

商至戰國（公元前十六世紀至公元前二二一年）

銅獸形尊

戰國

廣西賀州市沙田龍中山岩洞墓出土。

高53.7厘米。

獸體中空，背部無孔，有蓋，蓋與獸頸部有鏈相接。蓋面飾盤蛇，蛇頭昂起成蓋鈕。獸頭、獸腹飾變形蟠龍紋。器後部有一直立曲尾的龍形鋬。

現藏廣西壯族自治區賀州市博物館。

錯金銀銅神獸

戰國

河北平山縣中山王𰯼墓出土。

高12.1、長21.8厘米。

頭生短角，身體矮小，後背扁平，腹部低垂，四肢短粗，偶蹄，短尾。紋飾以捲雲紋為主。

現藏河北省文物研究所。

錯金銀銅獸首形飾
戰國
河南輝縣市固圍村出土。
長13.7、高8.8厘米。
獸圓目竪耳。通體錯金銀雲紋、鱗紋和斜綫紋。
現藏中國國家博物館。

商至戰國（公元前十六世紀至公元前二二一年）

銅龍形鈕
戰國
湖北隨州市曾侯乙墓出土。
鈕由上下兩對蟠龍組成，上一對引頸對
銜，下一對捲尾回首。
現藏湖北省博物館。

銅建鼓座
戰國
湖北隨州市曾侯乙墓
出土。
高54、底徑80厘米。
銅座上部有一孔，用
以插建鼓貫柱。整器
由十六條大龍和數十
條攀附其身的小龍
糾結穿繞而
成。龍身
鑲嵌綠
松石。
現藏湖北
省博物館。

漆木雙頭鎮墓獸

戰國

湖北江陵縣雨臺山18號墓出土。

高52厘米。

由木製的座、獸與一對真鹿角組成。獸面浮雕凸眼、眉、齜牙吐長舌，恐怖威嚴。通體髹黑漆，并用紅漆繪龍紋、雲紋和幾何紋等圖案。

現藏湖北省文物考古研究所。

銅怪獸形編磬座

戰國

湖北隨州市曾侯乙墓出土。

高67厘米。

此磬座龍首，長頸，鳥身，鱉足，鼓目吐舌。獸周身以錯金綫條勾勒蟠龍紋、圓渦紋等。舌上鑄銘七字。

現藏湖北省博物館。

銅鷹首

戰國

甘肅永登縣榆樹井出土。

高5.5、寬5.2厘米。

鷹頸內中空，頸兩側有對稱方孔，原應爲杆頭
飾物。

現藏甘肅省博物館。

銅鷹

戰國

安徽壽縣朱家集出土。

高17、長24.7厘米。

鷹首前伸，喙部誇張，身體粗壯，雙翼平展，作空中盤
旋狀。雙爪抓住一翹首雙身蛇。鳥身胸背飾鱗紋，翼和
尾飾羽紋。

現藏安徽省博物館。

鷹頂金冠
戰國

內蒙古杭錦旗阿魯柴登出土。

頂飾高7.1、額徑16.5厘米。

這套金冠飾的主造型爲一展翅的雄鷹，站
立在一個狼羊咬鬥紋的半球體上。額圈上有
浮雕臥虎、臥式盤羊和臥馬造型。

現藏內蒙古博物院。

漆木虎鳥懸鼓架
戰國

湖北江陵縣望山1號墓出土。

通高104厘米。

雙鳥分別立于雙虎背上，圓形扁鼓懸
于雙鳥之間（鼓已失）。

現藏湖北省博物館。

木雕小座屏

戰國

湖北江陵縣望山1號墓出土。

高15、長51.8厘米。

底座兩端着地，中懸如橋，上承透雕屏，采用圓雕及
浮雕技法鏤刻鳳、鳥、鹿、蛙、蛇、蟒等動物形象共
五十五個，組成一幅對稱而又生動的立體圖案。

現藏湖北省博物館。

商至戰國（公元前十六世紀至公元前二二二年）

漆木鴛鴦形盒
戰國
湖北隨州市曾侯乙墓出土。
高16.3、長20.4厘米。
鴛鴦頭扁後縮，嘴長，背
隆起，尾平伸，翅微翹，屈
足，作臥伏狀。
現藏湖北省博物館。

彩繪陶鴨
戰國
河南鄭州市二里崗出土。
高28.6、長25.5厘米。
鴨由軀體、雙足、梯形尾和翼等部件組裝而成。鴨體施
黑彩，羽毛以白彩和黃彩裝飾。
現藏河南博物院。

陶將軍俑

秦

陝西西安市臨潼區秦始皇陵兵馬俑1號坑出土。

高192厘米。

頭梳髻，身穿雙重長襦，外披魚鱗護甲，足
蹬方口翹尖履。

現藏陝西省秦始皇兵馬俑博物館。

陶將軍俑

秦

陝西西安市臨潼區秦始皇陵兵馬俑1號坑出土。

高196厘米。

頭戴冠，頭髮後攏，貼于腦後。內穿雙重長襦，外披魚鱗鎧甲，下身着長褲，足踏方口翹尖履。衣角上有"官臧"二字。

現藏陝西省秦始皇兵馬俑博物館。

陶武官俑

秦

陝西西安市臨潼區秦始皇陵兵馬俑1號坑出土。

高190厘米。

頭戴長冠，身穿長褲，外披鱗狀甲片組成的甲衣。爲中級武官形象。

現藏陝西省秦始皇兵馬俑博物館。

陶武士俑

秦

陝西西安市臨潼區秦始皇陵兵馬俑1號坑出土。

高183厘米。

頭綰右側圓髻，外罩圓形軟巾，脛扎行縢，足蹬方頭履，雙手半握。爲普通士兵形象。

現藏陝西省秦始皇兵馬俑博物館。

陶御手俑

秦

陝西西安市臨潼區秦始皇陵兵馬俑1號坑出土。

高190厘米。

頭戴長冠，外披甲衣，足踏方口齊頭履，雙臂前伸微曲，作勒繮駕車狀。

現藏陝西省秦始皇兵馬俑博物館。

陶跪射俑

秦

陝西西安市臨潼區秦始皇陵兵馬俑2號坑
出土。

高122厘米。

身着鎧甲，作跪射狀。

現藏陝西省秦始皇兵馬俑博物館。

陶立射俑

秦

陝西西安市臨潼區秦始皇陵兵馬俑2號坑出土。

高186厘米。

身着戰袍。右腿伸直，左腿彎曲，作射箭狀。

現藏陝西省秦始皇兵馬俑博物館。

陶袖手俑

秦

陝西西安市臨潼區秦始皇陵6號陪葬坑出土。

高189厘米。

頭戴雙版長冠，上身着雙層交領右衽長襦，衣襟交掩于背後，腰束革帶，下着長褲，足蹬齊頭方口淺履，袖手站立。

現藏陝西省秦始皇兵馬俑博物館。

秦西漢（公元前二二一年至公元二二五年）

陶百戲俑

秦

陝西西安市臨潼區秦始皇陵東南角陪葬坑出土。

殘高181厘米。

身體直立，四肢肌肉暴突，鼓腹蹶臀，兩手置于腹前，握着方形前褡。

現藏陝西省秦始皇兵馬俑博物館。

陶百戲俑

秦

陝西西安市臨潼區秦始皇陵東南角陪葬坑出土。

殘高135厘米。

左臂上舉，右臂半屈。作跨步前行狀。

現藏陝西省秦始皇兵馬俑博物館。

陶坐俑

秦

陝西西安市臨潼區秦始皇陵7號陪葬坑出土。

高87.5厘米。

頭戴軟帽，上穿右衽長襦，下着長褲。雙腿向前伸直平坐于地，雙臂前伸，雙手原應執物，現已不存。

現藏陝西省秦始皇兵馬俑博物館。

陶鞍馬及牽馬俑

秦

陝西西安市臨潼區秦始皇陵兵馬俑1號坑出土。

鞍馬俑高172、長203厘米；牽馬俑高185厘米。

馬昂首豎耳，身體渾圓結實，馬具考究精良。牽馬俑頭戴弁冠，身穿戰袍，外套鎧甲，扎裹腿。

現藏陝西省秦始皇兵馬俑博物館。

陶轡馬

秦

陝西西安市臨潼區秦始皇陵兵馬俑2號坑出土。

高170、長210厘米。

身披鞍轡，馬尾梳成辮形。膘肥體壯，雄健有力，爲騎
兵用戰馬。

現藏陝西省秦始皇兵馬俑博物館。

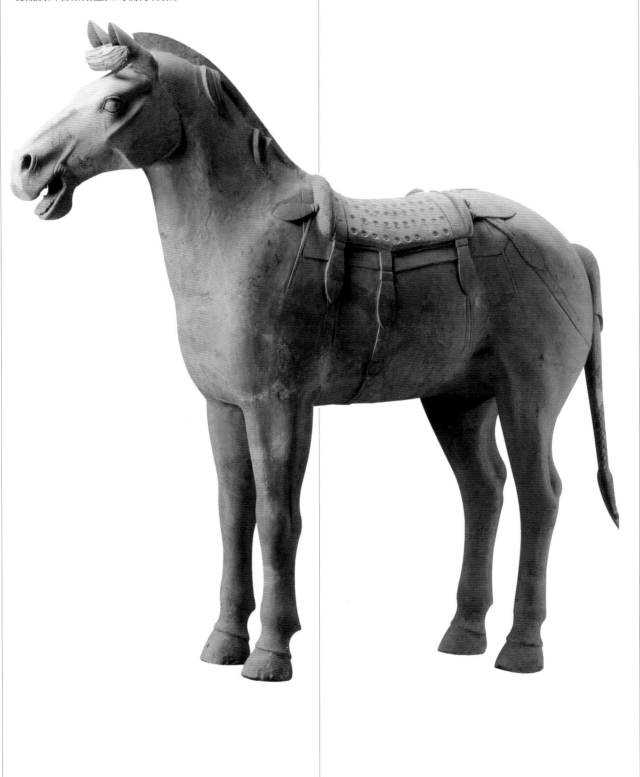

銅鶴

秦

陝西西安市臨潼區秦始皇陵7號陪葬坑出土。

高77.5厘米。

站立于方形鏤空雲紋踏板上，口叼小蟲。體表殘留白色彩繪痕迹。

現藏陝西省秦始皇兵馬俑博物館。

銅車馬

秦

陝西西安市臨潼區秦始皇陵出土。

通長225厘米、通高152厘米。

前駕四馬，單轅雙輪，橫長方形輿，輿內立十字形拱傘座，內插長柄銅傘。輿內有立姿御官俑一名，并裝備銅弩矢、銅盾等兵器。由三千多個零部件組成，除少量金飾件外全爲青銅質。通體彩繪。

現藏陝西省秦始皇兵馬俑博物館。

石雕牽牛像

西漢
原置陝西西安市長安區常家莊村北。
高258厘米。
漢武帝元狩三年(公元前120年)修鑿
昆明池，以"左牽牛而右織女"的
格局在池東西兩岸，分別建造兩
件大型石像。
現藏陝西省西安市長安區草堂寺。

石雕織女像

西漢

原置陝西西安市長安區常家莊村北。

高228厘米。

石像長辮後垂，身穿交領長衣，雙手抄
于腹前，端坐姿態。

現藏陝西省西安市長安區斗門鎮棉絨加
工廠內。

石人與熊

西漢
陝西興平市霍去病墓前石刻。
高277、寬172厘米。
以浮雕手法表現人熊搏鬥的場面。
現藏陝西省茂陵博物館。

石雕立馬

西漢

陝西興平市霍去病墓前石刻。

高168、長190厘米。

駿馬昂首直立，脚踏一手執弓箭的武士，武士仰臥。

現藏陝西省茂陵博物館。

秦西漢（公元前二二一年至公元二五年）

石雕臥馬

西漢

陝西興平市霍去病墓前石刻。

高144、長360厘米。

馬伏臥，作竪耳諦聽狀。

現藏陝西省茂陵博物館。

石雕躍馬

西漢

陝西興平市霍去病墓前石刻。

高150、長240厘米。

馬前肢騰起，呈凌空之勢。

現藏陝西省茂陵博物館。

石雕伏虎

西漢
陝西興平市霍去病墓前石刻。
高84、長200厘米。
石虎神情機警，肢爪強勁有力，長尾搭于背上。
現藏陝西省茂陵博物館。

石雕臥牛

西漢
陝西興平市霍去病墓前石刻。
高160、長260厘米。
石牛身強體壯，背部刻劃鞍韉及鐙。
現藏陝西省茂陵博物館。

石雕卧象

西漢

陝西興平市霍去病墓前石刻。

高58、長189厘米。

身軀藉天然石塊的原有形狀雕成，表現了小象的憨厚稚態。

現藏陝西省茂陵博物館。

石雕走虎

西漢

山西運城市安邑杜村徵集。

高71、長134.5厘米。

咧嘴露牙，作行走狀，氣勢雄渾威猛。

現藏山西博物院。

彩繪陶騎馬武士俑

西漢

陝西咸陽市楊家灣出土。

高64厘米。

騎俑頭束巾幘，身穿紅色交襟短衫，一手持
繮，一手握兵器。胯下馬剪鬃修尾，彩繪絡頭
及鞍韉。

現藏陝西省咸陽博物館。

秦西漢（公元前二二一年至公元二五年）

彩繪陶騎馬武士俑
西漢
陝西西安市漢墓出土。
高53厘米。
騎俑頭戴冠，着朱紅色圓領長袍，雙手作控馬狀。
現藏陝西省西安博物院。

彩繪陶騎兵俑
西漢
陝西咸陽市漢景帝陽陵南區從葬坑出土。
兩臂爲木製，已朽。
現藏陝西省漢陽陵博物館。

彩繪陶立射俑

西漢

陝西咸陽市韓家灣狼家溝出土。

高51厘米。

頭戴軟帽，身穿彩繪交領長袍，側身仰頭，兩手作張弓
欲射狀。

現藏陝西歷史博物館。

彩繪陶裸體武士俑

西漢

陝西咸陽市漢景帝陽陵南區從葬坑出土。

高58-62厘米。

出土時頭戴武弁，穿深衣鎧甲，兩臂爲木質，執戟擁盾，現已腐朽爲裸體。

現藏陝西省漢陽陵博物館。

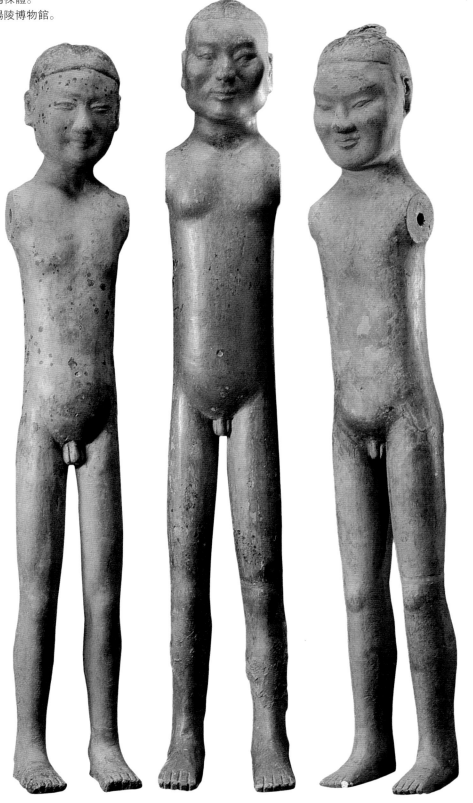

彩繪陶裸體女俑

西漢

陝西興平市張里村出土。

高46.3－48.9厘米。

二件。裸體、無臂。頭上梳羊尾髻，唇部有描紅痕迹。前胸雙乳隆起，腿直立微分。

現藏陝西省茂陵博物館。

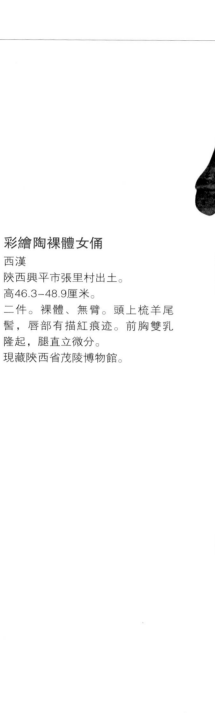

秦西漢（公元前二二一年至公元二五年）

彩繪陶武士俑頭（右圖）
西漢
陝西咸陽市漢景帝陽陵南區從葬坑出土。
殘高10厘米。
武士扎抹額，頭戴武弁。
現藏陝西省漢陽陵博物館。

彩繪陶武士俑頭
西漢
陝西咸陽市漢景帝陽陵南區從葬坑出土。
殘高11厘米。
寬額方圓臉。頭頂梳髮髻。
現藏陝西省漢陽陵博物館。

彩繪陶武士俑頭（上圖）

西漢

陝西咸陽市漢景帝陽陵南區從葬坑出土。

殘高11厘米。

頭髮中分，頂梳髮髻，黑彩繪出眉毛和鬍鬚。

現藏陝西省漢陽陵博物館。

彩繪陶女騎者俑頭

西漢

陝西咸陽市漢景帝陽陵南區從葬坑出土。

殘高10厘米。

低鼻梁，高顴骨，面龐豐盈。

現藏陝西省漢陽陵博物館。

彩繪陶儀衛俑

西漢

江蘇銅山縣北洞山楚王墓出土。

高49厘米。

頭戴紫色帽，身穿曲領右衽長袍，腰繪紅帶，左肋繪佩劍，身後背箭箙，胸前繪箭箙繫帶。

現藏江蘇省徐州博物館。

彩繪陶立俑

西漢

陝西咸陽市韓家灣狼家溝出土。

高53厘米。

頭髮中分梳向兩邊，頭戴軟帽，內穿窄袖長衣，外罩寬袖交襟長袍。雙掌平伸作托物狀。

現藏陝西歷史博物館。

彩繪陶女立俑
西漢
陝西咸陽市漢景帝陽陵陪葬墓園出土。
高35厘米。
長髮于背後成垂髻。袖手而立。
現藏陝西省漢陽陵博物館。

彩繪陶女立俑
西漢
陝西西安市臨潼區新豐驪山出土。
高54厘米。
黑髮于腦後挽螺形髻，身着圓領白色長袍，腰繫黑帶，
下着白色緊口褲，足蹬黑色圓頭方口履。
現藏陝西省西安市臨潼區博物館。

彩繪陶女立俑
西漢
陝西西安市漢陵從葬坑出土。
高53厘米。
絳黃臉，黑髮束起，挽髻後垂。身穿三重衣，外着長
襦，足穿方口履。
現藏陝西歷史博物館。

彩繪陶女立俑
西漢
江蘇銅山縣北洞山楚王墓出土。
高52厘米。
髮式爲額前作兩翼形隆起，中分後挽，于頸後成垂髻。
袖手而立。
現藏江蘇省徐州博物館。

彩繪陶女拱手俑
西漢
陝西咸陽市漢景帝陽陵陪葬墓園出土。
高33厘米。
女俑于胸前拱手跽坐。
現藏陝西省漢陽陵博物館。

彩繪陶女踞坐俑
西漢
陝西西安市姜村白鹿原漢墓出土。
高34厘米。
俑頭梳髻，內穿白色紅領衫，外罩交領長袍。
現藏陝西歷史博物館。

彩繪陶女踞坐俑

西漢
陝西西安市姜村漢墓出土。
高34厘米。
束髮，髮髻繫于腦後成椎體狀。身穿交襟長衣，作踞坐狀，雙手自然前伸置膝上。
現藏陝西歷史博物館。

彩繪陶女舞俑

西漢
陝西西安市白家口出土。
高50厘米。
頭髮中分，後梳垂于背部。結扁平式髮髻。身穿交襟長袖衣，外套交襟寬袖衣，下着裙裝。
現藏中國國家博物館。

彩繪陶舞俑
西漢
江蘇徐州市東王莊馱籃山楚王墓出土。
高45厘米。
女俑雙臂上舉，長袖飄舞。
現藏江蘇省徐州博物館。

彩繪陶大喇叭裙女立俑
西漢
陝西西安市長安城遺址出土。
高31厘米。
頭戴風帽，身着寬袖交襟束腰連衣長裙，雙手前拱置
于腰際。
現藏陝西歷史博物館。

秦西漢（公元前二二一年至公元二五年）

彩繪陶舞俑

西漢

江蘇徐州市東王莊馱籃山楚王墓出土。

左俑高47、右俑高49厘米。

身着右衽長袍，右臂舉起，雙腿微曲。

現藏江蘇省徐州博物館。

彩繪陶吹奏俑
西漢
江蘇徐州市東王莊馱籃山楚王墓出土。
高34.5厘米。
雙手殘，原應爲持樂器吹奏。
現藏江蘇省徐州博物館。

木騎馬俑
西漢
江蘇泗陽縣大青墩泗水王陵出土。
身長31、腿長30厘米。
身下原有馬匹。
現藏南京博物院。

彩繪木六博俑

西漢

甘肅武威市磨嘴子漢墓出土。

俑高28厘米。

為相對跪坐的老叟形象。

現藏甘肅省博物館。

彩繪陶雜技盤

西漢

山東濟南市無影山1號西漢墓出土。

高22、長67.5、寬47.5厘米。

盤內共塑有二十二人（出土時缺一人）的雜技場面，有二舞女身着長袖衣翩翩起舞，另有拿大頂、折腰、作柔術表演的男子四人，吹笙、撫瑟、執棒敲鐘、擊鼓伴奏者八人及觀賞的主客七人。

現藏山東省濟南市博物館。

木騎馬俑

西漢

四川綿陽市永興雙包山2號墓出土。

高61.5、長70.5厘米。

騎者包巾裹髻，身穿右衽緊袖短衣和馬褲。馬昂首挺胸，張口竪耳，瞪目曲尾。通體髹黑漆，口、鼻、耳內等部位塗朱漆。

現藏四川省綿陽市博物館。

彩繪木侍衛俑
西漢
湖北荊州市鳳凰山167號墓出土。
高47厘米。
男俑繪黑衣，女俑繪紅衣，袖手而立。
現藏湖北省荊州博物館。

木伸臂伎樂俑

西漢
江蘇泗陽縣大青墩泗水王陵出土。
高24.5厘米。
雙臂伸直上舉，頭微低。
現藏南京博物院。

木伎樂舞俑

西漢
江蘇泗陽縣大青墩泗水王陵出土。
高47厘米。
雙臂上舉作舞蹈狀。
現藏南京博物院。

鎏金銅騎馬俑

西漢

廣西西林縣普馱糧站出土。

高59、長61厘米。

俑頭戴平冠，上着短衣，下穿褲，雙足着靴。俑坐于鞍
上，雙手平舉勒繮，馬昂首挺立。

現藏廣西壯族自治區博物館。

銅四人博戲俑

西漢

廣西西林縣普馱糧站出土。

高9-9.5厘米。

四俑皆戴冠，着長袍，舉止各异。四俑與六博棋盤
同出。

現藏廣西壯族自治區博物館。

銅四人博戲俑

西漢

甘肅靈臺縣傅家溝1號墓出土。

高7.9–9.2厘米。

四俑皆着寬袖袍衣，神態各异。四俑之間放置牙質棋子。

現藏甘肅省靈臺縣博物館。

銅説唱俑

西漢

河北滿城縣中山靖王劉勝墓出土。

高7.8厘米。

兩件銅人爲倡優形象，表情滑稽，似正在説唱打諢。

現藏河北省博物館。

秦西漢（公元前二二一年至公元二五年）

銅三戲俑

西漢

江蘇漣水縣三里墩出土。

高5厘米。

三俑皆裸體，一男二女，作環抱狀。三人披髮或束髻。

現藏南京博物院。

銅執傘男俑

西漢
雲南江川縣李家山出土。
高65.6厘米。
男俑頭挽高髻，雙耳垂環，頸戴串珠項鏈，衣袖及肘，
小臂佩釧，左胯佩劍，披氈，束扎腰帶，跣足，跪坐于
一素面銅鼓之上。雙手執傘，傘已脱落。
現藏雲南省江川縣李家山考古工作站。

銅持傘女俑

西漢
雲南晉寧縣石寨山墓出土。
高46厘米。
女俑頭挽銀錠式髮髻，上穿無領對襟廣袖長衫，下身着
裙。跣足。并膝跪坐。佩戴耳環和多道細圈狀手鐲。
現藏雲南省博物館。

銅持傘俑

西漢

雲南晉寧縣石寨山出土。

俑高55、傘高102厘米。

俑爲男性，束髮成髻。跪舉一傘。

現藏雲南省博物館。

鎏金銅長信宮燈

西漢

河北滿城縣竇綰墓出土。

高48厘米。

整體爲宮女跪坐執燈形象。宮女着廣袖內衣，右衽長袍，腰束帶，右臂高舉以爲烟道，左手執帶柄燈盤。

現藏河北省博物館。

銅戰爭場面貯貝器蓋

西漢

雲南晉寧縣石寨山出土。

蓋徑30厘米。

蓋上共雕鑄人物十三位。正中一武士披貫盔甲，騎于戰
馬之上，執矛下刺，馬頸下繫一人頭，當爲敵人主帥。
周圍人物皆爲步卒。地面俯臥尸體數具。

現藏雲南省博物館。

鎏金銅獻俘掠奪扣飾

西漢

雲南晉寧縣石寨山出土。

高9、寬15厘米。

一戴盔披甲滇族戰士左手提人頭，右手牽一繩，繩上繫
一背負幼童的辮髮婦女及一牛二羊，後面亦有一着盔
甲戰士左手提人頭，右手執斧，下有一無頭尸體及一
條蛇。

現藏雲南省博物館。

秦西漢（公元前二二一年至公元二五年）

銅樂舞俑

西漢

雲南晋寧縣石寨山出土。

高8厘米。

四俑均頭梳銀錠式髮髻，耳佩圓形耳環，雙腕戴鐲，右
肩上斜挎佩劍寬帶，至側腰處繫有短劍。其中一人吹曲
管葫蘆，邊吹邊舞，其餘三人雙手擺動，作舞蹈狀。

現藏雲南省博物館。

鎏金銅雙人舞盤扣飾

西漢

雲南晋寧縣石寨山出土。

高13、寬19厘米。

舞俑梳髻，着交襟長袖上衣，腰佩
長劍，下穿褲，跣足。

現藏雲南省博物館。

鎏金銅八人樂舞扣飾

西漢

雲南晋寧縣石寨山出土。

高9.5、寬13厘米。

分上下兩層，上層有四人戴冕形冠，頭後長帶下垂，雙手上舉作歌舞狀。下臺四人一人吹曲管葫蘆笙，一人擊錞于，一人吹一短柄樂器，一人吹直管葫蘆笙。

現藏雲南省博物館。

鎏金銅四人舞俑扣飾

西漢

雲南晉寧縣石寨山出土。

高11.7、長15厘米。

四人均頭戴冠，裝束相同，作舞蹈狀。

現藏中國國家博物館。

銅騎士獵鹿扣飾

西漢

雲南江川縣李家山出土。

高14.4、寬23.9厘米。

騎士頭裹包頭，臂戴寬邊鐲，左手控繮，右手
持矛作刺鹿狀，馬身側前方的奔鹿仰首張口，
其下兩條蛇交繞成繩索狀，一蛇咬住馬尾，
另一蛇咬住鹿前足。

現藏雲南省江川縣李家山考古工作站。

銅騎士獵鹿扣飾

西漢

雲南江川縣李家山出土。

高12、寬12.5厘米。

二獵手騎馬揮矛刺中馬前
二鹿，一鹿被刺倒地，
獵犬撲向鹿身，下有
一蛇口咬馬尾，尾纏
獵犬後腿。

現藏雲南省博物館。

銅二人獵豬扣飾

西漢

雲南江川縣李家山出土。

高6.5、寬12.3厘米。

野豬口咬一獵人腰部，獵人行將倒地，前有一獵犬驚恐欲逃。一獵人持劍猛刺野豬臀部，一獵犬撕咬野豬之腰。下有一蛇，口咬獵犬前足，尾纏野豬後腿。

現藏雲南省博物館。

銅四人縛牛扣飾

西漢

雲南江川縣李家山出土。

高6、寬12厘米。

一牛被縛于一銅柱之上，牛角倒懸一幼童。一人挽牛尾，一人緊拉牛頸之繩，一人被牛踏翻于地，一人于柱後緊拉縛牛之繩。其下二蛇纏繞，一蛇咬住縛牛之繩，一蛇頭上蹲坐一蛙。

現藏雲南省博物館。

彩繪陶馬

西漢

陝西咸陽市漢景帝陽陵南區從葬坑出土。

高63、身長70厘米。

昂首豎耳，鼻孔大張，脖子前伸，軀體扁圓，柱形腿。

現藏陝西省漢陽陵博物館。

木立馬

西漢

江蘇泗陽縣大青墩泗水王陵出土。

高115厘米。

馬前腿直立，後腿微曲。

現藏南京博物院。

鎏金銅馬

西漢

陝西興平市茂陵1號無名冢出土。

高62、長76厘米。

高大中空，昂首翹尾，肌筋勁健，耳削鬃齊，眼鼻皆張，四蹄直立。

現藏陝西省茂陵博物館。

銅馬與御手俑

西漢

廣西貴港市風流嶺31號漢墓出土。

馬高115.5、俑高39厘米。

馬昂首嘶鳴，舉腿欲奔。銅御手俑戴冠，穿袍披甲，雙
腿踞坐。

現藏廣西壯族自治區博物館。

彩繪陶牛

西漢

陝西咸陽市漢景帝陽陵南區從葬坑出土。

高41、身長70厘米。

豎耳，雙眼圓瞪，頸短粗。軀體扁圓，四腿如柱，木質角和尾已腐朽。

現藏陝西省漢陽陵博物館。

銅虎噬牛案

西漢

雲南江川縣李家山出土。

高43、長76、寬36厘米。

案體爲立牛，蹄作案腿，前後蹄間有橫梁相連。橢圓形的牛背作案面。大牛尾部鑄有一隻虎，虎口緊咬牛尾，四爪抓住牛胯作後仰狀。大牛腹下橫置一頭小牛，立于腿間的橫梁上，與大牛呈十字交叉形狀。

現藏雲南省博物館。

彩繪陶山羊

西漢

陝西咸陽市漢景帝陽陵南區從葬坑出土。

高29、身長37厘米。

竪耳，鬍鬚下垂，脖子前伸，軀體扁圓，柱形腿，木質角已腐朽。

現藏陝西省漢陽陵博物館。

銅羊燈

西漢

河北滿城縣中山靖王劉勝墓出土。

高18.6、長23厘米。

臥羊式燈，捲角短尾。腹腔中空。羊臀上有小提鈕，可開合羊背形蓋，蓋合則爲一完整臥羊，打開則平放于羊頭上成爲燈盤。

現藏河北省博物館。

秦西漢（公元前二二一年至公元二五年）

銅三狼噬羊扣飾
西漢
雲南江川縣李家山採集。
長14、寬8厘米。
爲一頭羊遭三隻狼襲擊的場面。
現藏雲南省博物館。

石豬
西漢
湖南長沙市南門外出土。
大豬長18.3、小豬長3.7–4.9厘米。
大豬帶領三隻豬崽，作行走覓食狀。
現藏中國國家博物館。

彩繪陶母豬

西漢

陝西咸陽市漢景帝陽陵南區從葬坑出土。

高23.5、身長41厘米。

長嘴大耳，身軀肥大，腹下有兩排乳頭，木質尾已
腐朽。

現藏陝西省漢陽陵博物館。

彩繪陶犬

西漢

陝西咸陽市漢景帝陽陵南區從葬坑出土。

高21、身長30厘米。

左爲家犬，短嘴，小耳，尾巴上捲。右爲狼犬，長嘴，
鼓腮，腹下兩排乳頭。

現藏陝西省漢陽陵博物館。

秦西漢（公元前二二一年至公元二五年）

木卧犬
西漢
江蘇泗陽縣大青墩泗水王陵出土。
高11、長42厘米。
犬作趴伏狀。
現藏南京博物院。

陶鴨
西漢
河南濟源市四澗溝出土。
卧鴨體態豐滿，頭頸微向前探出。
現藏河南博物院。

彩繪陶鷄

西漢

陝西咸陽市漢景帝陽陵南區從葬坑出土。

雄鷄高15、雌鷄高11厘米。

雄鷄朱紅色高冠，昂首翹尾，赭黑色眼睛，以紅、黑、黃三色彩繪羽毛。雌鷄彩繪以紅、橙、黃色爲主。

現藏陝西省漢陽陵博物館。

銅三虎噬牛扣飾

西漢

雲南晋寧縣石寨山出土。

高9、寬13厘米。

一牛被虎咬斃，一大虎負牛而行，口咬牛尾，一前爪反抱牛腹。二小虎緊隨大虎作戲鬧狀。

現藏雲南省博物館。

秦西漢（公元前二二一年至公元二五年）

石豹鎮
西漢
江蘇徐州市獅子山楚王墓出土。
高14.5、長23.5厘米。
豹側臥于臺座之上，頸戴項圈。
現藏江蘇省徐州博物館。

錯金銅豹鎮
西漢
河北滿城縣竇綰墓出土。
高3.5、長5.9厘米。
兩件。皆作蜷臥狀，二目鑲嵌白瑪瑙，口部塗朱，昂首張口，長尾從腹部向脊背彎捲。豹體內灌鉛。
現藏河北省博物館。

銅二豹噬豬扣飾

西漢

雲南晉寧縣石寨山出土。

高12、寬17.3厘米。

二豹與一野豬相搏，一豹撲于豬背，張口欲噬。另一豹伏于豬腹之下，四爪抓豬腹，口咬其後腿。野豬口咬豹尾。下有一蛇，與豬、豹相纏繞。

現藏雲南省博物館。

銅鹿形鎮

西漢

河南陝縣後川出土。

高9.7–10厘米。

背部鑲嵌斑紋貝殼，象徵梅花鹿。

現藏中國社會科學院考古研究所。

錯金銀銅雲紋犀形尊

西漢

陝西興平市豆馬村出土。

高34.4、長58.1厘米。

犀牛雙目嵌黑殼料珠。通體飾流雲紋，并以金銀絲嵌錯。

現藏中國國家博物館。

銅魚杖頭
西漢
雲南江川縣李家山出土。
高26厘米。
銅魚爲頂。銎部雕刻跪坐于鼓上的人像。
共兩件，此爲其一。
現藏雲南省江川縣李家山考古工作站。

陶立熊插座
西漢
陝西興平市西吳鄉北吳村出土。
高16.7、寬10.1厘米。
熊體肥碩，以後足作站立狀。
現藏陝西省茂陵博物館。

銅三孔雀扣飾
西漢
雲南晉寧縣石寨山出土。
高11.5、寬15.5厘米。
中間一孔雀展翅欲飛，左右兩孔雀相背而立，均仰首向天。下部糾纏蛇、魚各兩條。
現藏雲南省博物館。

彩繪陶翼獸
西漢
陝西西安市十里鋪出土。
高34、長42.5厘米。
長吻，前肢屈伏，後肢蹲踞。肩生雙翼，貼于背部，尾向後伸。頸背交接處有長方形插孔。
現藏陝西省西安市文物保護考古所。

陶鎮墓獸

西漢

陝西西安市范南村出土。

高23、長44厘米。

大眼粗頸，肩生雙翼，作伏臥狀。頸後有方形插孔。

現藏陝西省西安市文物保護考古所。

彩繪陶鎮墓獸

西漢

陝西西安市紅廟坡出土。

高24.3、長35.5厘米。

獸吻扁闊，長耳尖直。前肢伏臥，後肢蹬伸。肩生雙翼，長尾上揚。

現藏陝西省西安市文物保護考古所。

秦西漢（公元前二二一年至公元二五年）

陶龜座鳳鳥

西漢

陝西西安市范南村出土。

高54厘米。

一隻鳳鳥立于龜背之上，龜頭上揚。

現藏陝西省西安市文物保護考古所。

彩繪陶負壺鳩

西漢

山東濟南市無影山出土。

高52.9、寬43.5厘米。

鳩鳥雙翅展開，各負一壺。

現藏山東省濟南市博物館。

彩繪陶負鼎鳩

西漢

山東濟南市無影山出土。

高53.5厘米。

鳩鳥背部兩人拱手對立，旁一人持傘站立。鳩雙翅各負
一鼎。鼎足爲立人形。

現藏山東省濟南市博物館。

東漢（公元二五年至公元二二〇年）

石雕亭長像

東漢

原立于山東曲阜市張曲村魯王墓前。

高254厘米。

頭戴冠，腰間佩劍，前胸陰刻篆書“漢故樂安太守麃君亭長”十字。

現藏山東省曲阜孔廟。

石雕門卒像

東漢

原立于山東曲阜市張曲村魯王墓前。

高200厘米。

頭戴平頂小帽，雙手原持一物，已殘。

現藏山東省石刻藝術博物館。

石雕胡人像

東漢

山東青州市城西南出土。

高297厘米。

頭戴尖帽，深目高鼻，身穿窄袖衫，跪于石座之上。

現藏山東省石刻藝術博物館。

石雕李冰像

東漢

四川都江堰市出土。

高290厘米。

石像胸前刻有"故蜀郡李府諱冰"等字樣。

現藏四川省都江堰市伏龍觀大殿。

石獅

東漢

山東嘉祥縣武宅山北麓武氏墓群石刻。

高124厘米。

張口怒目，昂首扭頸。後右足殘，前右足按一蜷曲小獸。石獅立于石闕亭，石闕上有銘文"建和元年……使石工孟孚、李弟卯造此闕，直錢十五萬。孫宗做師子，直四萬……"。建和元年爲公元147年。

現藏山東省嘉祥縣文物管理所。

石辟邪

東漢

立于四川雅安市姚橋高頤墓前。

高110、長190厘米。

形似虎頭獅身，背生雙翅，頭無角，呈昂首奮進之姿。

高頤墓修建于東漢建安十四年（公元209年）。

東漢（公元二五年至公元二二〇年）

石雕力士

東漢

立于四川雅安市姚橋高頤
墓前。

此力士爲高頤墓闕上裝飾。

石獅

東漢

原置于四川蘆山縣楊統墓前。

高167厘米。

昂首挺胸，張口翹尾，四肢粗
壯凝重。

現藏四川省蘆山縣姜公祠。

石辟邪

東漢

原立于河南南陽市城北漢汝南太守宗資墓前。

高165厘米。

辟邪的右翼前鐫有"辟邪"二字。

現藏河南省南陽漢畫館。

石天禄

東漢
原立于河南南陽市城北漢汝南太守宗資墓前。
高165厘米。
天禄的右翼前鐫有"天禄"二字。
現藏河南省南陽漢畫館。

石辟邪

東漢

陝西咸陽市毛紡廠出土。

高110、長210厘米。

雄性。頷下有鬚，昂首挺胸，曲腰疾走，四肢勁健，長
尾曳地，瞪目怒吼。

現藏陝西省西安碑林博物館。

石辟邪

東漢

陝西咸陽市毛紡廠出土。

高110、長210厘米。

雌性。昂首疾走，四肢勁健。

現藏陝西省西安碑林博物館。

東漢（公元二五年至公元二二〇年）

石辟邪
東漢
河南洛陽市孫旗屯出土。
高109、長166厘米。
辟邪頭生雙角，下頜捲鬚，身
生雙翼，背頸陰刻隸字"緱氏
蒿聚成奴作"。
現藏河南省洛陽古代藝術館。

石辟邪
東漢
河南孟津縣老城鄉油坊街村出土。
高190、長297厘米。
辟邪頜下有鬚，身生雙翼，邁步前行。
現藏河南省孟津縣文物局。

石雕騎馬人像
東漢
河北望都縣出土。
高78、長77.2厘米。
騎馬人頭戴黑色平巾幘，着紅地白色流雲紋剪襟短衣和粉紅色流雲紋大口褲，左手提橢圓形酒壺，右手提魚兩尾。
現藏中國國家博物館。

東漢（公元二五年至公元二二〇年）

銅騎馬人像
東漢
高4.6厘米。
騎士穩坐馬背，馬匹短小強悍。
現藏故宮博物院。

綠釉陶六博俑
東漢
河南靈寶市張灣村3號墓出土。
高24.2厘米。
雙俑對坐，中間置六博棋盤。
現藏河南博物院。

陶百戲俑

東漢
河南洛陽市燒溝出土。
高15.9厘米。
臉側向右邊，雙手伸展上舉，撅臀站立，動作誇張。
現藏河南博物院。

陶擊鼓俑（右圖）

東漢
四川成都市天回山3號崖墓出土。
高56.3厘米。
女俑頭戴花冠，身穿長袖衣，跌坐。
現藏四川博物院。

石雕撫瑟俑

東漢
四川峨眉山市雙福鄉出土。
高54.5厘米。
頭戴巾幘，身穿右衽長袍，袖口捲起。雙手撫瑟。
現藏四川博物院。

陶撫琴俑

東漢
貴州興仁縣出土。
高36厘米。
頭戴巾幘，身着右衽長袍。雙手撫琴。
現藏貴州省博物館。

陶舞蹈俑

東漢

四川遂寧市崖墓出土。

高45厘米。

額上扎巾，束高髮髻。着交襟廣袖曳地長袍，束腰。

現藏四川博物院。

陶吹簫俑

東漢

重慶市磁器口出土。

高23厘米。

頭戴平幘帽，內穿小圓領中衣，外穿交襟長袍。雙手
握簫管。

現藏重慶市博物館。

陶説唱俑

東漢

四川成都市新都區馬家山出土。

高48厘米。

頭梳高髻，口吐舌頭，鼓腹撅臀作滑稽狀。

一手持鼓一手拿槌，欲擊鼓。

現藏四川省成都市新都區文物管理所。

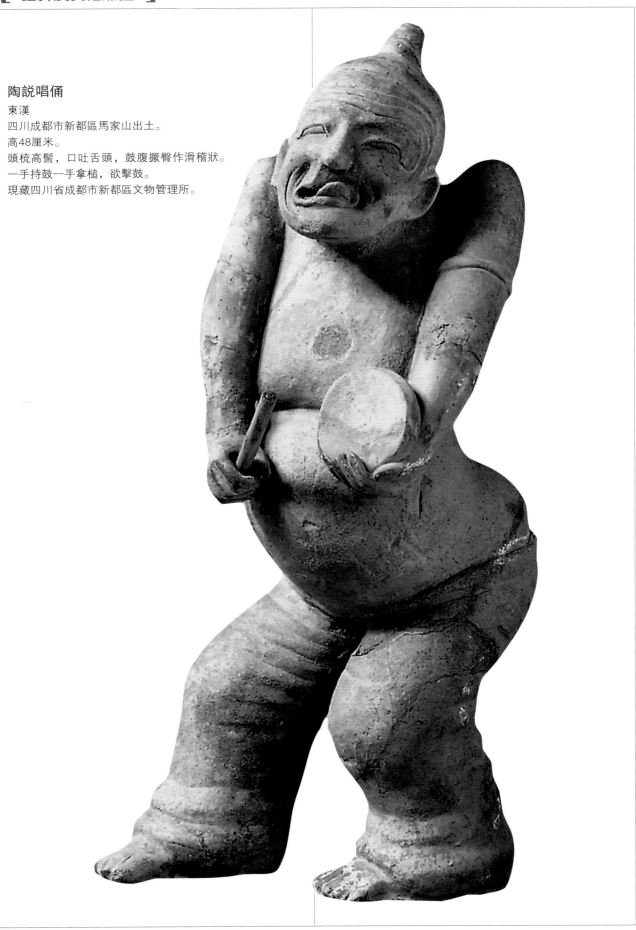

陶擊鼓説唱俑

東漢

四川成都市天回山出土。

高56厘米。

右腿揚起，腳掌向上，張口露齒，額前皺紋
數道。左臂夾一扁鼓，右手執槌欲擊。表
情幽默，生動活潑。

現藏中國國家博物館。

石雕俳優俑

東漢

重慶鵝石堡山漢墓出土。

高31厘米。

仰頭聳肩，身體短小粗壯，袒胸叉腿，坐于鼓上。

現藏重慶市博物館。

陶坐俑

東漢

四川成都市天回山3號崖墓出土。

高27.3厘米。

頭戴平頂巾幘，着交襟廣袖長袍。斜踞坐，神態輕鬆自然，似在欣賞表演。

現藏四川博物院。

陶哺嬰俑
東漢
四川德陽市出土。
高22厘米。
女俑梳高髮髻，額扎巾，坐着哺喂一嬰孩。
現藏四川省德陽市博物館。

石雕抱子俑
東漢
山東濟寧市徵集。
高30.1厘米。
石人頭戴小帽，身穿交領大袍，寬袖，束腰，下垂至地。俑懷中抱着嬰兒及五弦琴。
現藏山東省博物館。

陶提鞋俑

東漢

四川成都市新都區馬家山出土。

高63厘米。

女俑左手提一雙鞋，右手于胸前執一鏡狀圓形物。

現藏四川省成都市新都區文物管理所。

陶踞坐俑

東漢

四川郫縣出土。

高58厘米。

女俑左手持鏡狀圓形物。

現藏四川博物院。

綠釉陶厨俑
東漢
山東高唐縣東固河出土。
高29.8厘米。
頭戴巾幘，濃眉大眼，面帶笑容，身穿交領右衽袍，踞坐方案前，捲袖露臂，右手握刀，雙手作切物狀。
現藏山東省博物館。

陶執厨俑
東漢
四川成都市新都區馬家山出土。
高30厘米。
頭纏巾，身着衫，雙袖上挽，跪坐于地。右手操刀，左手捉魚。
現藏四川省成都市新都區文物管理所。

東漢（公元二五年至公元二二〇年）

石雕執鍤俑

東漢

四川峨眉山市雙福鄉出土。

高66厘米。

立體圓雕。俑頭戴帽，身穿交襟窄袖短衫，袖口捲起，
腰束帶。雙手握鍤柄于胸前。

現藏四川博物院。

陶執箕鍤俑

東漢

四川新津縣堡子山1號磚墓出土。

高85.8厘米。

頭戴平頂幘，身着交襟短袍，緊袖。腰際佩短刀，脚
穿草鞋。

現藏四川博物院。

陶部曲俑

東漢

四川新津縣堡子山出土。

高99厘米。

俑頭束巾，身着短衣，腰繫革帶，佩挂削刀及環首大刀。左手執箕，箕内挂一具獸面鋪首，右手執鍤，鍤首殘，足穿草屨。

現藏四川省樂山崖墓博物館。

陶鎮墓俑

東漢

四川成都市出土。

高89厘米。

頭似龍首，口吐長舌，左手持蛇，右手握舌，夾一柄戰斧。

現藏四川博物院。

東漢（公元二五年至公元二二○年）

石雕鎮墓俑

東漢

四川蘆山縣石馬壩出土。

左俑高129、右俑高110厘米。

一俑頭生雙角，瞪眼吐舌，左手捉蛇，右手執斧。另一
俑左手執箕，右手執鏟。

現藏四川省蘆山縣文化館。

石雕力士座

東漢

四川雅安市點將臺漢墓出土。

長29.5、寬25.5厘米。

力士赤上身，昂首挺胸匍匐于石座上。

左臂用力支撐，肌肉隆起，右臂扭向後
背扶住石砧。

現藏四川博物院。

彩繪木軺車
東漢
甘肅武威市磨嘴子48號墓出土。
通長120、車高97、馬高87厘米。
由雙轅、輿車、傘蓋、御者和轅馬組成。
現藏甘肅省博物館。

東漢（公元二五年至公元二二〇年）

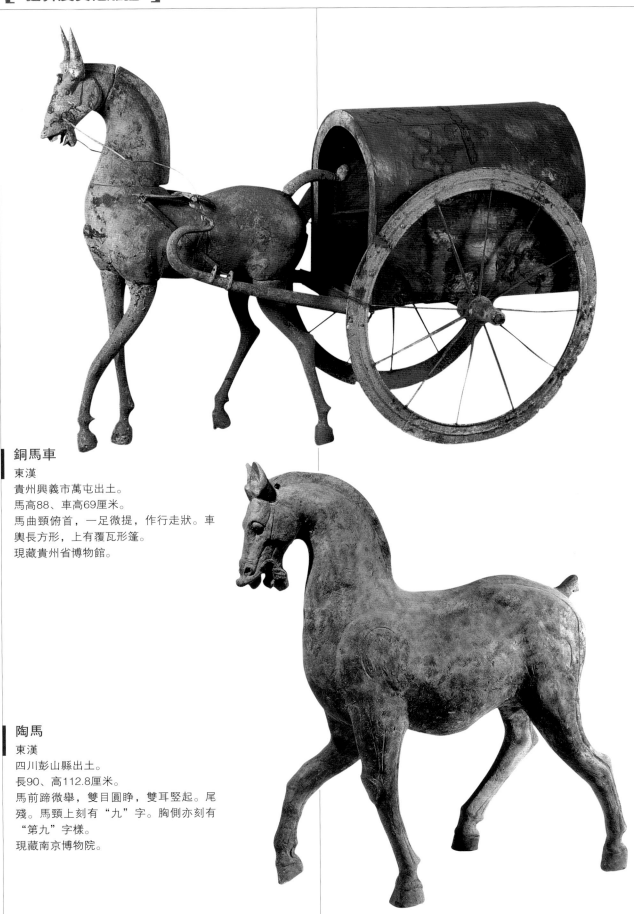

銅馬車

東漢

貴州興義市萬屯出土。

馬高88、車高69厘米。

馬曲頸俯首，一足微提，作行走狀。車
輿長方形，上有覆瓦形篷。

現藏貴州省博物館。

陶馬

東漢

四川彭山縣出土。

長90、高112.8厘米。

馬前蹄微舉，雙目圓睜，雙耳竪起。尾
殘。馬頸上刻有"九"字。胸側亦刻有
"第九"字樣。

現藏南京博物院。

銅馬
東漢

河北徐水縣防陵村2號墓出土。

高116、長70厘米。

張口露齒，翹鼻，巨目微凸，豎耳直立，腰圓體壯。

現藏河北省保定市文物管理局。

東漢（公元二五年至公元二二〇年）

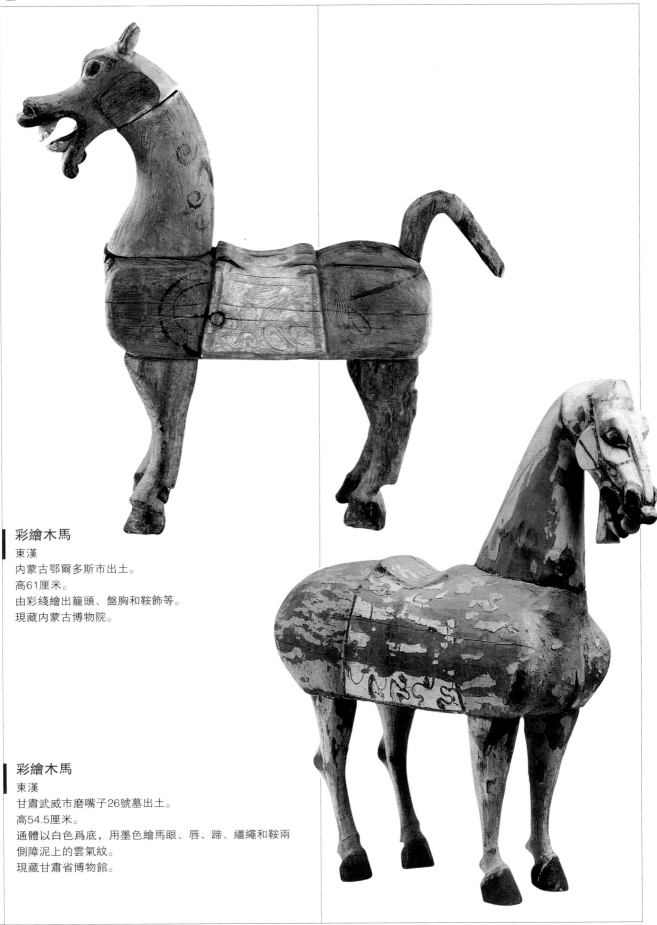

彩繪木馬

東漢

內蒙古鄂爾多斯市出土。

高61厘米。

由彩綫繪出籠頭、盤胸和鞍飾等。

現藏內蒙古博物院。

彩繪木馬

東漢

甘肅武威市磨嘴子26號墓出土。

高54.5厘米。

通體以白色爲底，用墨色繪馬眼、唇、蹄、繮繩和鞍兩
側障泥上的雲氣紋。

現藏甘肅省博物館。

彩繪木馬

東漢

甘肅武威市磨嘴子49號墓出土。

高81厘米。

馬由頭、頸、軀幹、四腿和尾五部分組成。通體墨繪，
頭飾銅當盧，口銜銅鑣，背部雕繪鞍韉。

現藏甘肅省博物館。

彩繪木牛

東漢

甘肅武威市磨嘴子出土。

高18厘米。

牛頭和牛身塗黑。

現藏甘肅省博物館。

彩繪陶駱駝

東漢

陝西西安市沙坡出土。

高74、長93厘米。

駱駝站立前視。

現藏陝西省西安市文物保護考古所。

石羊

東漢

山東臨沂市石羊嶺出土。

高95厘米。

用矩形石材雕出羊的輪廓，并對羊角、羊腿等部分作誇張刻劃。羊胸前刻"孝子孫矣，永和五年，孫仲喬所作羊"等字，永和五年爲公元140年。

現藏故宮博物院。

陶母子羊

東漢

河南輝縣市百泉出土。

母羊高12厘米。

母羊體肥尾短，正帶着小羊羔緩步而行。兩羊均張口鳴叫，互相呼應。

現藏故宮博物院。

鎏金銅奔羊

東漢

河南偃師市李家村窖藏出土。

高7.1、長14.2厘米。

羊角捲曲，呈奔馳狀。

現藏河南博物院。

銅雙羊飾

東漢

河北張家口市出土。

高7.7厘米。

雙羊作佇立狀，羊首低俯，雙目圓睜，長角盤曲，短尾上翹。

現藏中國國家博物館。

鎏金銅動物

東漢

河南偃師市李家村出土。

馬高5.9、象高3.5、鹿高8.6、牛高4.8厘米。

一馬、一羊、四象、四牛同出于一酒尊内，均通體鎏
金。馬身飾勒帶及雲紋。

現藏河南博物院。

東漢（公元二五年至公元二二〇年）

綠釉陶猪

東漢

河北滄縣四家村漢墓出土。

長38.7、高24厘米。

通體施綠釉。兩耳前伸，長鼻獠牙，雙目圓睜。四肢短粗，頸部鬃毛聳立，短尾盤于圓臀之上。

現藏河北省博物館。

陶猪

東漢

河南輝縣市百泉出土。

高6.6厘米。

低頭垂耳，長嘴前伸作覓食狀。

現藏故宮博物院。

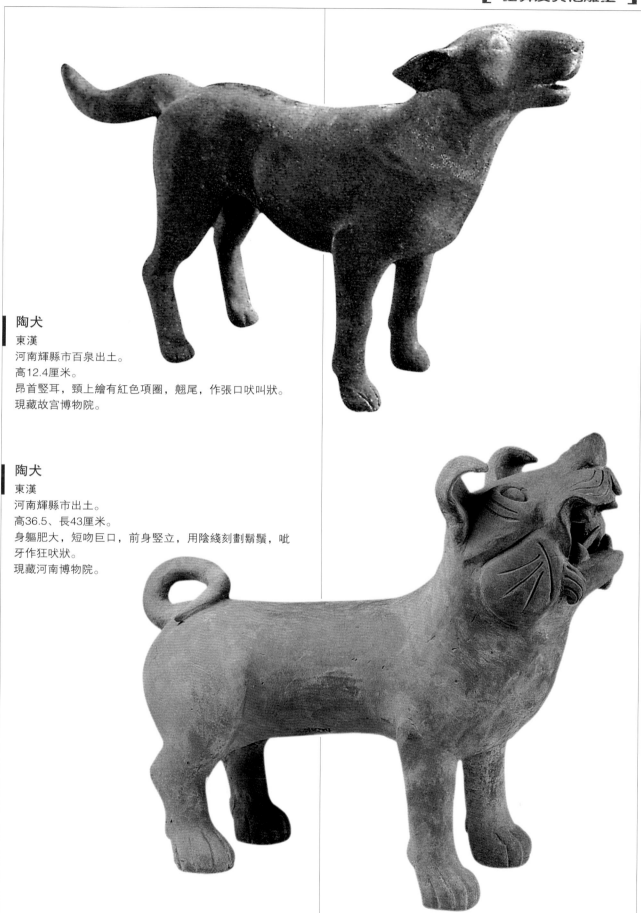

陶犬
東漢
河南輝縣市百泉出土。
高12.4厘米。
昂首豎耳，頸上繪有紅色項圈，翹尾，作張口吠叫狀。
現藏故宮博物院。

陶犬
東漢
河南輝縣市出土。
高36.5、長43厘米。
身軀肥大，短吻巨口，前身豎立，用陰綫刻劃鬍鬚，呲
牙作狂吠狀。
現藏河南博物院。

東漢（公元二五年至公元二二〇年）

陶犬
東漢
四川成都市出土。
高67厘米。
陶狗竪耳，鼓大眼，大鼻短嘴，頸部有套繩。挺胸，前
肢直立，後肢曲坐。
現藏四川大學博物館。

陶犬
東漢
河南南陽市出土。
高46厘米。
後肢蹲坐，前肢下垂，張口露齒。
現藏河南博物院。

醬釉陶犬
東漢
湖北宜昌市前坪18號墓出土。
高32.2厘米。
頭頸粗大，身軀略小，作昂頭豎耳回首吠叫狀。
現藏湖北省博物館。

陶鵝
東漢
河南濟源市出土。
左高11、右高14厘米。
兩鵝均雙翅貼身，左顧右盼，似在尋覓食物。
現藏河南博物院。

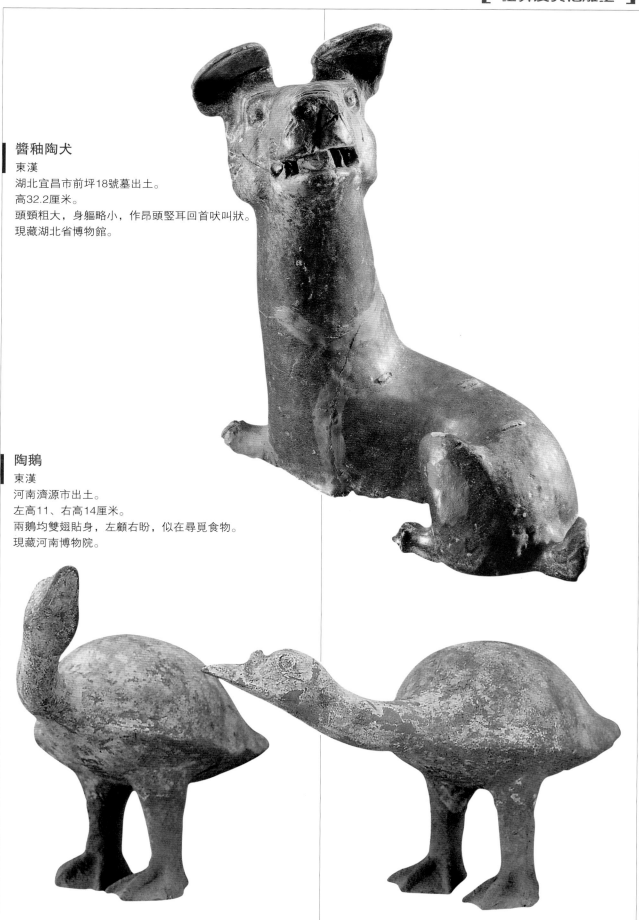

陶子母雞
東漢
四川成都市天回山3號崖墓出土。
高24.5厘米。
母雞作蹲伏狀，胸前及兩翅下各伏一雛鷄，背上又背負
一雛鷄。
現藏四川博物院。

釉陶鴨
東漢
高21.7厘米。
鴨站立前視。
現藏上海博物館。

彩繪陶虎熊龍鳳座

東漢

四川成都市青白江區躍進村5號墓出土。

高56.5厘米。

正方形板上立一虎，虎背正面蹲坐一熊，熊頭上有一鳳鳥，鳥口內含一圓球，作展翅欲飛狀。陶板後面兩角各立一龍，龍頭盤繞于鳳鳥雙翼上。

現藏四川省成都市文物考古研究所。

木猴

東漢

甘肅武威市磨嘴子出土。

高11.5厘米。

跪坐，左前肢垂直撐地，右前肢上屈至口，頭微低，似正進食。

現藏中國國家博物館。

彩繪木猴

東漢

甘肅武威市磨嘴子出土。

高32.5厘米。

用簡練的刀工表現出猴的特徵。身上原塗紅、黑、白三色，現大部分已脫落。

現藏甘肅省博物館。

彩繪陶猴

東漢

陝西西安市南郊沙坡出土。

左高15、右高13.5厘米。

一猴雙手置腹前，一猴雙手撫膝。

現藏陝西省西安市文物保護考古所。

彩繪陶子母熊（右圖）

東漢

高13.5厘米。

母熊後腿曲卧，右掌抬起，左掌按幼熊。像施紅、黑、
白彩。

現藏陝西省西安市文物保護考古所。

鎏金銅熊鎮

東漢

安徽合肥市建華窑廠工地出土。

高5.1、寬4厘米。

熊蹲坐，張口，立耳，前爪抬起，後肢彎曲，下有短
尾。通體鎏金。

現藏中國國家博物館。

石雕蟾蜍形搖錢樹座

東漢

四川廣元市漢墓出土。

高21.6、長30.5厘米。

蟾蜍體肥碩，上飾圓斑紋，頭昂起，後腿蹬地，作欲
起躍狀。

現藏重慶市博物館。

陶蛙形插座

東漢

四川彭山縣出土。

高39厘米。

青蛙尖嘴鼓目，胸腹袒露，雙乳突起，
雙爪垂置大腿上，背上一圓柱狀插座。

現藏南京博物院。

鎏金銅獸形硯盒

東漢

江蘇徐州市出土。

高10、長25厘米。

伏獸龍首蛙身，側生雙翼，背有一橋形鈕，通體鎏金，
飾雲氣紋，并以各色寶石鑲嵌。盒內有石硯。

現藏南京博物院。

彩繪陶仙鶴

東漢

四川成都市青白江區躍進村5號墓出土。

高41厘米。

仙鶴尖喙，長頸，冠上有紅彩。作行走狀。

現藏四川省成都市文物考古研究所。

陶仙鶴

東漢

四川成都市東山灌溉區出土。

高67厘米。

仙鶴雙足直立，曲頸昂首，向天鳴唳。

現藏中國國家博物館。

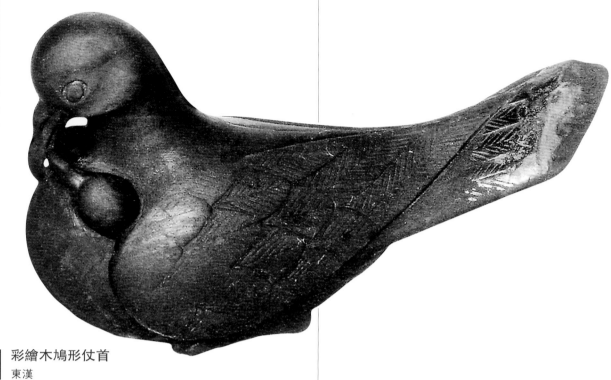

彩繪木鳩形仗首

東漢

山東日照市海曲漢墓出土。

鳩形，雙翅下各探一鳥首。其下部有一插孔。

現藏山東省文物考古研究所。

彩繪木鳩形杖首

東漢

甘肅武威市磨嘴子出土。

長16厘米。

鳩鳥張口含食。

現藏甘肅省博物館。

東漢（公元二五年至公元二二〇年）

陶翼獸
東漢
陝西咸陽市出土。
高20、長28厘米。
獸吻部突出，四肢粗大有力，肩生雙翼。
現藏陝西歷史博物館。

石雕辟邪插座
東漢
四川雅安市點將臺漢墓出土。
高26厘米。
辟邪頷下有髯，肩生雙翼，伏臥于石座上。
現藏四川博物院。

紅陶虎紋獨角獸

東漢

陝西勉縣長林鎮揚宅村漢墓出土。

高15、長31厘米。

鼓目，短尾，虎爪，頭頂中部長一勾翹短獨角，前腿八
字形分開，後腿用力猛蹬，周身布滿虎皮紋。

現藏陝西省勉縣博物館。

銅獨角獸

東漢

甘肅酒泉市下河清18號墓出土。

長70.2、高40.2厘米。

獨角獸尾和四肢爲薄片形，角爲扁錐形，遍體刻滿鱗
甲紋。

現藏甘肅省博物館。

彩繪木獨角獸

東漢
甘肅武威市磨嘴子出土。
長90厘米。
後尾揚，四肢直立，長角前伸作抵刺狀。周身彩繪鬃毛
和鱗甲狀紋樣。
現藏甘肅省博物館。

彩繪木獨角獸

東漢
甘肅武威市磨嘴子21號墓出土。
長57厘米。
尾直立，四肢用力撐地，長角前伸作抵刺狀。周身彩
繪獸毛。
現藏甘肅省博物館。

陶百花燈

東漢

河南洛陽市澗西七里
河出土。
高92厘米。
分爲燈盞、燈
柱、燈座三部
分。燈盞彩繪朱
雀形，其它部分
塑有羽人、飛
龍、烏龜、卧
蟬等珍禽异獸
以及火焰花
飾、柿蒂形
飾、山巒等，
宛如仙境。
現藏河南省洛陽市
文物工作隊。

石雕熨斗臺

東漢

河北冀州市前村出土。

高63厘米。

正方形底座上臥一虎，虎身上立柱，柱上部開一虎口形方孔，柱四周四螭虎托一平臺，平臺上一蹲坐回首獸。熨斗插在柱上方孔處。

現藏河北省衡水市文物管理所。

銅朱雀踏龜燈

東漢

山東日照市海曲漢墓出土。

高18、口徑10.6厘米。

燈盤爲淺圓盤形，中間柄部爲一展翅朱雀，龜形底座。

現藏山東省文物考古研究所。

石雕盤龍硯

東漢

河南南樂縣宋耿洛村出土。

高12.8、直徑32.3厘米。

硯蓋雕刻相互盤繞的六條龍，六龍共戲一珠。硯面陰刻
延熹三年（公元160年）題記。

現藏河南博物院。

陶船

東漢

廣東廣州市先烈路出土。

高15、長56厘米。

船分前、中、後三艙，艙頂有篷蓋，尾部與望臺有門相
通，船尾附舵，船頭挂錨，兩邊安插三根槳架。

現藏中國國家博物館。

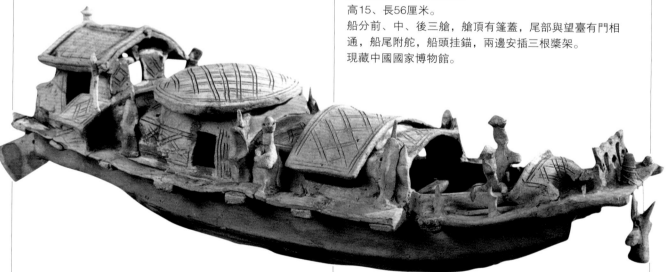

陶舞蹈俑（右圖）

三國·蜀

重慶忠縣塗井5號崖墓出土。

高25厘米。

頭梳高髻，飾簪繫巾，身穿交襟廣袖長袍，腰束帶。右手持巾，左手提裙兩腿微蹲，長裙下露出一小罐。

現藏四川博物院。

陶頂罐女俑

三國·吳

江蘇南京市栖霞山甘家巷東吳墓出土。

高30厘米。

兩俑五官模糊，頭頂大罐。

現藏南京博物院。

青瓷翼羊

三國・吳
江蘇南京市草場門出土。
高25、長30.5厘米。
四足蜷曲作臥狀，張口，竪耳，項脊刻劃鬃毛，腹部刻
劃雙翼。羊頭上有一圓孔，應用于插燭。
現藏江蘇省南京市博物館。

釉陶鴿

三國・吳
江蘇南京市光華門外趙士岡出土。
高4.5、長5.4厘米。
頭上揚，雙翅合攏，顯得溫順可愛。
現藏南京博物院。

彩繪陶犀牛

三國・魏

河南洛陽市澗西防洪渠出土。

高21.4、長27.5厘米。

頸生一利角，脊長三肉瘤，

尾向上翹起。

現藏河南省洛陽博物館。

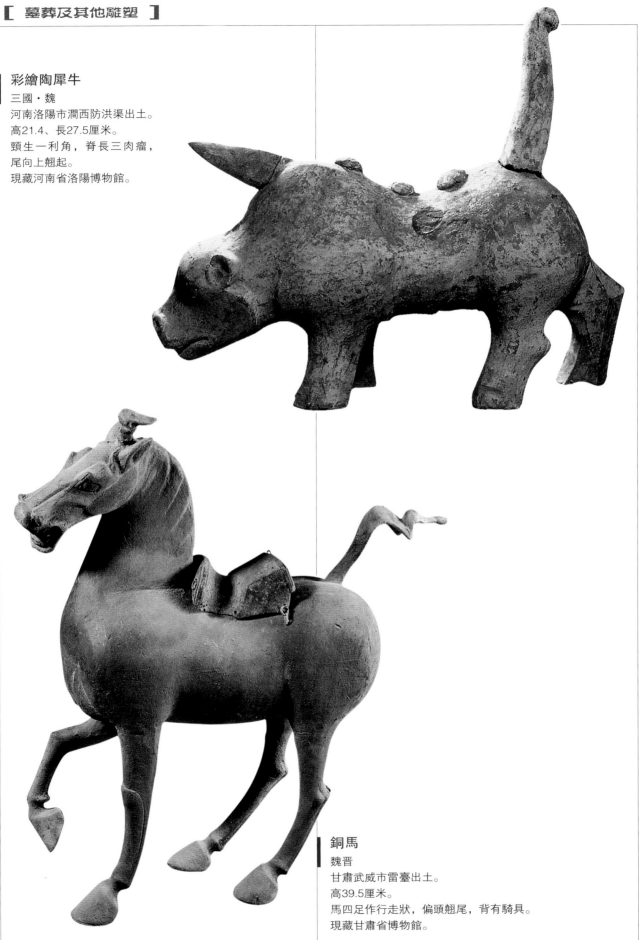

銅馬

魏晋

甘肅武威市雷臺出土。

高39.5厘米。

馬四足作行走狀，偏頭翹尾，背有騎具。

現藏甘肅省博物館。

銅奔馬

魏晋

甘肅武威市雷臺出土。

高34.5、長44.5厘米。

馬昂首嘶鳴，作奔騰狀，一足踏飛
鳥，飛鳥回首驚顧。

現藏甘肅省博物館。

銅斧車

魏晋

甘肅武威市雷臺出土。

車高32.4、馬高39厘米。

爲車隊前導車。雙轅前伸仰曲，連衡帶輪有軾，輿中部
插有斧。

現藏甘肅省博物館。

銅烏龜
魏晋
甘肅敦煌市七里墩出土。
長38.5厘米。
龜作引頸昂首爬行狀，尾作橛形，背甲飾長方形和三角
形雷紋。
現藏甘肅省博物館。

銅獨角獸
魏晋
甘肅嘉峪關市新城出土。
高23.5、長72厘米。
張口吐舌，全身遍布鱗甲紋，作抵刺狀。
現藏甘肅省博物館。

彩繪木雕椅子腿

公元3–4世紀

新疆尼雅遺址出土。

左高34.6、右高34.5厘米。

分別雕一男一女。頭上有鉤形角。面部刻
劃眼睛、眉毛、嘴唇，男子留有鬍鬚。額
上環繞着以枝葉和花構成的花環。身穿圓
領衣，背後是垂直的小曲翼。胸部下方爲
花瓣椅腿，下端爲馬蹄形。

現藏英國倫敦大英博物館。

彩繪陶武士俑

西晋

河南洛陽市邙山出土。

高34.5厘米。

頭戴兜鍪，身着魚鱗甲。左手作持盾狀，右手原應持武器。

現藏北京大學賽克勒考古與藝術博物館。

彩繪陶武士俑

西晋

河南偃師市杏園墓出土。

高57厘米。

頭戴兜鍪，身穿魚鱗甲。左手執盾，右手舉起作持物狀。

現藏中國社會科學院考古研究所。

陶持便面俑與風帽俑
西晉
湖南長沙市金盆嶺9號墓出土。
持便面俑高20.5、風帽俑高16厘米。
持便面俑頭戴高冠，跣足站立。風帽俑穿尖
領長袍，束腰帶，雙足蹬靴站立。
現藏湖南省博物館。

陶騎馬俑
西晉
湖南長沙市金盆嶺9號墓出土。
高22-24厘米。
前面領頭者爲吹奏樂器的儀仗俑，
後六俑各手持方板。
現藏中國國家博物館。

陶對坐俑

西晋

湖南長沙市金盆嶺9號墓出土。

通高16.5、寬15.5厘米。

兩俑對坐，高冠，長服。中間置一書案，案上放有筆、
硯和簡册。兩人手中持物，似有所語。

現藏湖南省博物館。

瓷男女俑

西晋

江蘇南京市出土。

女俑高23.5、男俑高20.5厘米。

女俑頭盤髻，上身裸露，下着裙。男俑作兒童形象，身穿吏服。

現藏中國國家博物館。

青瓷胡人騎獸形器
西晋
高28、長20厘米。
騎獸者戴筒狀高帽，跨坐于獸身之上。獸
爲虎形，圓目怒睜，呲牙咧嘴。
現藏故宮博物院。

三國至南北朝（公元二二〇年至公元五八九年）

彩繪陶鞍馬
西晉
河南鄭州市南關出土。
長32厘米。
馬眼與鼻孔殘留硃紅色，鼻上有圓球狀裝飾物。
現藏河南博物院。

青瓷獅形器
西晉
江蘇南京市板橋鎮石閘湖西晉墓出土。
高12.5、長19厘米。
尾呈蕉葉狀，頜下有鬚。項脊分披鬃毛，腹部兩側刻有
羽翼。脊背上有一圓孔。
現藏江蘇省南京市博物館。

青瓷神獸尊

西晋

江蘇宜興市周墓墩4號墓出土。

高27.9、腹徑23.2厘米。

神獸爲尊上的裝飾，張牙舞爪，口中銜珠，後背有脊狀
突起五個。

現藏南京博物院。

青瓷熊形器

西晋

江蘇南京市江寧區秣陵街道橋南村出土。

高8.5厘米。

小熊踞坐作進食狀。頂部有一圓孔，可以插燭
或作酒器等用。

現藏南京博物院。

彩繪陶鎮墓獸

西晋

河南偃師市杏園出土。

高23.6、長36厘米。

形似犀牛，低首揚尾，頸部有刺。

現藏中國社會科學院考古研究所。

青瓷鎮墓獸
西晉
江蘇南京市板橋鎮石閘湖西晋墓出土。
高12.8、長22.2厘米。
獨角雙耳，兩肋綫刻羽翼，背竪兩尖角。臀部有一孔，
腹中空。
現藏江蘇省南京市博物館。

青瓷羊形燭臺
西晉
湖北鄂州市出土。
高30、長40厘米。
羊作跪伏狀。頭部有圓孔。
現藏湖北省鄂州市博物館。

三國至南北朝（公元二二〇年至公元五八九年）

陶武士俑

東晋

江蘇南京市富貴山出土。

高52.8厘米。

上身着短衣，下着長裙。左手持盾，右手作持兵器狀。

現藏南京博物院。

陶武士俑

東晋

江蘇南京市郎家山墓葬出土。

高63.5厘米。

頭戴尖頂帽，左手持盾，右手作執兵器狀。

現藏江蘇省南京市博物館。

陶男侍俑

東晉

江蘇南京市幕府山墓出土。

高34.4厘米。

俑頭戴冠，冠頂有一道橫梁，內穿圓領衣，外罩交領袍，長筒裙。雙手交叉于腹前作侍立狀。

現藏江蘇省南京市博物館。

陶女俑

東晉

江蘇南京市堯化門東晉墓出土。

高27.5厘米。

俑長髮挽于頭頂，作雙環髻斜垂于頭部兩側，臉形豐滿圓潤，五官端正，面帶微笑。上穿窄袖長襦，抄手而立，下着遮足的喇叭裙。

現藏江蘇省南京市博物館。

三國至南北朝（公元二二〇年至公元五八九年）

陶胡人俑

東晋

江蘇南京市富貴山出土。

高35.6厘米。

頭戴三叠式螺形帽。寬額大眼，咧嘴露齒微笑，雙手虛握，赤足站立。

現藏江蘇省南京市博物館。

銅持蓮花俑

東晋

湖南津市市孽龍崗磚室墓出土。

通高27.5厘米。

頭盤椎髻，戴冠，上穿束腰緊身短衣，下着喇叭口過膝筒褲，左手持蓮花，赤足立于蓮蓬之上。

現藏湖南省博物館。

陶馬
東晉
江蘇南京市象山出土。
高34.5、長38.5厘米。
馬身軀健壯，長尾下垂，配有轡、鞍及馬鐙。
現藏江蘇省南京市博物館。

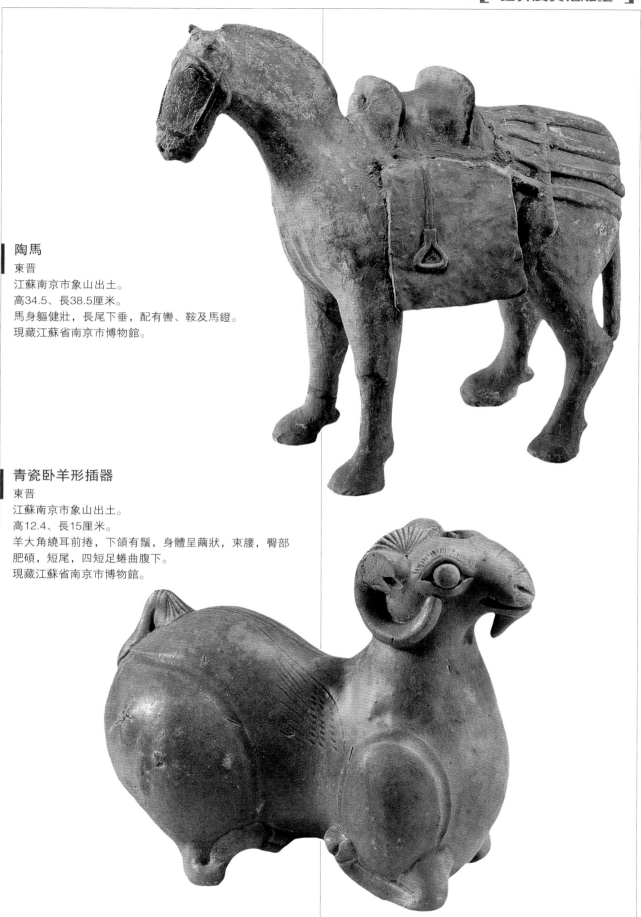

青瓷臥羊形插器
東晉
江蘇南京市象山出土。
高12.4、長15厘米。
羊大角繞耳前捲，下頜有鬚，身體呈繭狀，束腰，臀部
肥碩，短尾，四短足蜷曲腹下。
現藏江蘇省南京市博物館。

三國至南北朝（公元二二〇年至公元五八九年）

陶鎮墓獸

東晉
江蘇南京市砂石山出土。
高20.5、長28厘米。
頭長獨角，背脊四個尖
角聳立，身體粗壯，腹
部中空，四肢作行走
狀，短尾下垂。
現藏南京博物院。

彩繪陶騎馬樂俑

十六國
陝西咸陽市秦都區平陵鄉出土。
高40.1、長32.5–34.5厘米。
三樂俑頭戴圓頂帽，上着緊袖交領衣，下穿長褲。分別
擊鼓、吹角和吹排簫。
現藏陝西省咸陽市文物考古研究所。

彩繪陶女樂俑

十六國

陝西咸陽市秦都區平陵鄉出土。

高28厘米。

四樂俑均頭戴髮冠，施面靨，戴花鈿，穿交領衣。分別
擊鼓、彈琵琶、撫箏和吹奏。

現藏陝西省咸陽市文物考古研究所。

木男俑

十六國

新疆吐魯番市哈拉和卓出土。

左高19.3、右高21厘米。

胡人形象。披髮，八字鬍。左俑身穿左衽上衫，
着褲。右俑身穿左衽長袍，地位似高于穿短衫者。

現藏新疆維吾爾自治區博物館。

木馬與牽馬俑

十六國·前秦

甘肅高臺縣許三灣墓地出土。

馬長38、俑高28厘米。

俑及馬均以墨色描繪。同墓出土棺板上有前
秦建元十四年（公元378年）題記。

現藏甘肅省高臺縣博物館。

石馬

十六國・夏

陝西西安市查家寨發現。

高200、長225厘米。

前腿殘存"大夏真興六年（公元424年），歲在甲子夏五月辛酉"、"大將軍"的題記，推測應屬赫連勃勃之子赫連璝墓前的遺物。

現藏陝西省西安碑林博物館。

釉陶鎧馬

十六國

陝西咸陽市秦都區平陵鄉出土。

高46、長43厘米。

體內中空，下附踏板，呈站立狀。背鋪長方形剪角鞍，
周身覆魚鱗甲片。

現藏陝西省咸陽市文物考古研究所。

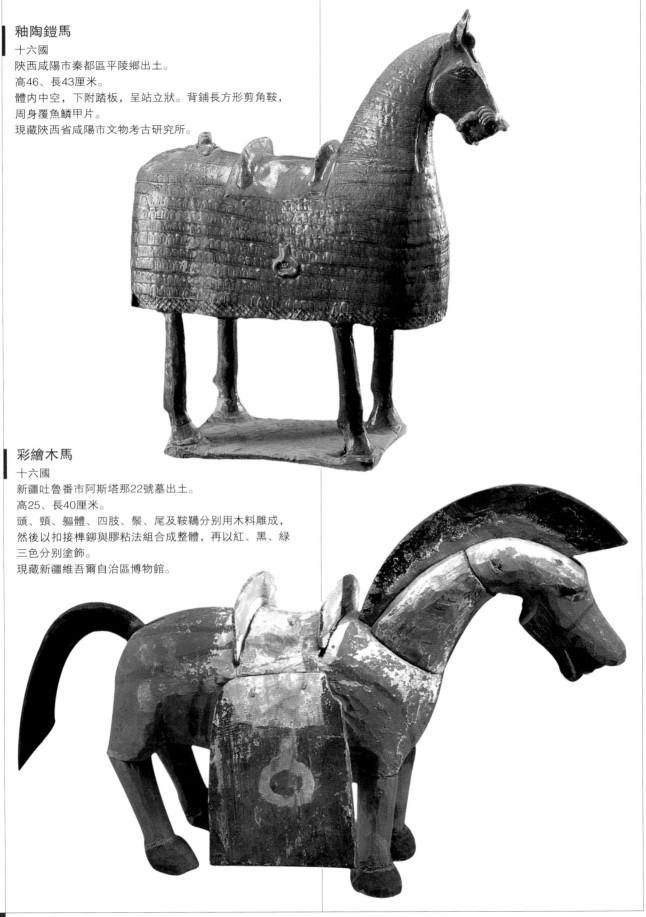

彩繪木馬

十六國

新疆吐魯番市阿斯塔那22號墓出土。

高25、長40厘米。

頭、頸、軀體、四肢、鬃、尾及鞍韂分別用木料雕成，
然後以扣接榫鉚與膠粘法組合成整體，再以紅、黑、綠
三色分別塗飾。

現藏新疆維吾爾自治區博物館。

石男俑

南朝

江蘇南京市靈山墓出土。

高64厘米。

頭戴高冠，冠上雕十字紋，雙目微閉，長鬚垂及胸前。上身着交領廣袖長袍，雙手攏于胸前。

現藏江蘇省南京市博物館。

石男俑

南朝

江蘇南京市靈山墓出土。

高46厘米。

頭戴冠，雙目微閉。上身着對襟廣袖衣，腰束帶，左手下垂，右手微抬作持物狀，下着褲，褲脚束緊，脚穿靴。

現藏江蘇省南京市博物館。

陶男侍俑

南朝

江蘇南京市堯化門墓出土。

高23.2厘米。

頭戴冠，冠頂前低後高，五官端正。身穿交領窄袖長袍，雙足外露。雙臂張開，雙手向上托舉作捧物狀。現藏江蘇省南京市博物館。

陶高髻女俑

南朝

江蘇南京市西善橋出土。

高37.5厘米。

頭梳雙環髻，內有圓領襦，外罩交領寬袖短衣，長袍掩足，雙手搭交于腹。現藏南京博物院。

陶女俑

南朝

江蘇南京市前新塘墓出土。

高33厘米。

頭頂正中挽出的雙鬟髻向左右兩側垂挂，兩鬟抱面。上身着交領窄袖短衫，下着長裙，作抄手恭立狀。

現藏江蘇省南京市博物館。

陶武士俑

南朝

江蘇徐州市獅子山出土。

高60厘米。

武士頭戴小冠，身穿長衫，內着長裙，穿齊頭履。雙手拱于胸前，按環首儀刀。

現藏江蘇省徐州博物館。

彩繪陶男俑

南朝

江蘇銅山縣茅村鄉内華村磚室墓出土。

高55.6厘米。

頭戴平巾幘，上穿紅色右衽長袍，腰繫帶，前部打結，足蹬黑色平頭履。雙手合置于胸前。

現藏江蘇省徐州博物館。

彩繪陶女俑

南朝

江蘇銅山縣茅村鄉内華村磚室墓出土。

高42.4厘米。

頭綰雙髻，上穿短衣，内着雙層衫，下着圓筒狀長褲。雙手攏于胸前。

現藏江蘇省徐州博物館。

石馬

南朝

江蘇南京市燕子磯墓出土。

高36、長40厘米。

昂首挺胸，細腰圓臀，四足呈方柱狀，尾長而粗，直連底座。

現藏江蘇省南京市博物館。

陶馬

南朝

江蘇南京市幕府山出土。

高28.3厘米。

馬身雄健肥大，置有鞍和轡具。

現藏南京博物院。

三國至南北朝（公元二二〇年至公元五八九年）

陶牛車

南朝
江蘇南京市砂石山墓葬出土。
牛長24.6、車長40.7厘米。
車廂長方形，頂前後出檐。
現藏中國國家博物館。

滑石猪

南朝
江蘇南京市象山出土。
長9.9厘米。
身體較大，四肢蜷曲作臥伏狀。用簡潔綫條雕刻出猪的嘴、鼻和耳。
現藏南京博物院。

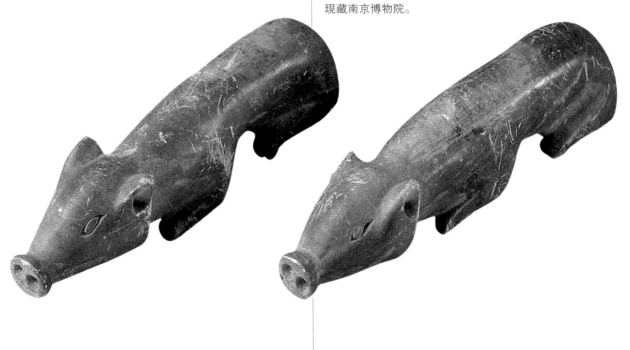

石麒麟

南朝·宋

江蘇南京市江寧區麒麟鎮麒麟鋪宋武帝劉裕初寧陵神道
石刻。

殘高275、長318厘米。

仰首張口，頭頂生一角，獸身，生雙翼，四足爲後補。

石麒麟

南朝·齊

江蘇丹陽市胡橋鎮獅子灣齊宣帝蕭承之永安陵神道
石刻。

殘高275、長295厘米。

雙角殘。頷下鬈鬚垂于胸前，生雙翼。

石麒麟

南朝·齊

江蘇丹陽市雲陽鎮田家村齊武帝蕭賾景安陵神道石刻。

高280、長315厘米。

麒麟昂首張口，頭生雙角，身生雙翼。

石麒麟（上圖）

南朝·齊

江蘇丹陽市胡橋鎮仙塘灣齊景帝蕭道生修安陵神道石刻。

高242、長290厘米。

麒麟頭生獨角，身生雙翼。

石麒麟

南朝·梁

江蘇丹陽市雲陽鎮三城巷梁文帝蕭順之建陵神道石刻。

高232、長310厘米。

雙角殘失，頜下有長鬚，雙翼微翹，翼面飾捲雲紋。

石辟邪

南朝·梁

江蘇南京市煉油廠內梁桂陽簡王蕭融墓神道石刻。

高246、長330厘米。

辟邪張口、露齒、吐舌，昂首挺胸，作行走狀。

三國至南北朝（公元二二〇年至公元五八九年）

石辟邪

南朝·梁

江蘇南京市栖霞區甘家巷
小學内梁安成康王蕭秀墓
神道石刻。

高295、長335厘米。

辟邪頭有鬣毛，體形肥
壯，翼作三翎，通體長
毛，作昂首伸舌行走狀。

石辟邪

南朝·梁

江蘇南京市栖霞區甘家巷
西梁始興忠武王蕭憺墓神
道石刻。

高292、長378厘米。

現存一大二小石辟邪。大
辟邪頭殘，兩肩生雙翼，
其身前和腹下各有一隻小
辟邪。

石辟邪

南朝·梁
江蘇南京市栖霞區十月村梁吳平忠侯蕭景墓神道石刻。
高350、長380厘米。
辟邪仰首吐舌，兩肩生出雙翼，胸前有象徵捲曲長毛的紋飾。

三國至南北朝（公元二二〇年至公元五八九年）

石柱

南朝·梁

江蘇南京市栖霞區
甘家巷梁吳平忠侯
蕭景墓神道石刻。
高650厘米。

柱礎爲雙螭座，螭
相對環狀，長尾相
交，頭有雙角，口
內銜珠。柱體雕飾
凹弧形豎瓦楞紋，
上部飾繩索紋及蛟
龍紋。柱的上部有
矩形石額，上鐫有
字。額下淺刻一組
浮雕，爲手承石額
的三力士。柱頭置
覆蓮狀圓蓋，蓋上
伫立一小石獅。

石辟邪

南朝·梁

江蘇句容市華陽鎮石獅溝村梁南康簡王蕭績墓神道石刻。

高333、長320厘米。

辟邪張口露齒，舌垂于胸前，雙翼長翎鱗羽，長尾垂地，四肢粗短，足五爪。

石麒麟

南朝·梁

江蘇丹陽市雲陽鎮三城巷梁武帝蕭衍修陵神道石刻。

高280、長310厘米。

麒麟生雙角，頷下長鬚垂至胸前，肩生雙翼，飾螺紋，後爲翎羽，足五爪，蹯下有小獸，垂尾盤繞。

石麒麟

南朝·陳

江蘇南京市栖霞區新合村獅子冲陳文帝陳蒨永寧陵神
道石刻。

高313、長319厘米。

麒麟獨角，張口露齒，額部毛髮捲曲成螺紋，尾部、
背部充滿着勻稱的捲曲花紋。

彩繪陶武士俑

北魏

河北景縣封氏墓出土。

高22.9厘米。

武士俑身材魁梧，上身穿大開領窄袖服裝，腰束帶。

現藏中國國家博物館。

彩繪陶侍俑

北魏

河北景縣封氏墓出土。

高27.3厘米。

頭戴籠冠，身穿高領廣袖長袍，腰束帶，雙手攏于腹部。

現藏中國國家博物館。

陶風帽俑

北魏

河北景縣封氏墓出土。

高23厘米。

頭戴風帽，身披風衣。面頰豐腴，眉目秀美，鼻圓口小，身材纖柔，具有男俑女性化的風格。

現藏中國國家博物館。

彩繪陶持劍武官俑

北魏

河南洛陽市盤龍冢村元邵墓出土。

高29.9厘米。

頭戴盔，肩披長袍，袍領圍頸，内着甲，雙手按劍于腹前。

現藏河南省洛陽博物館。

彩繪陶武士俑

北魏

河南洛陽市盤龍冢村元邵墓出土。

高30.8厘米。

戴盔披甲，腰束革帶。左手按長盾，右手呈環狀，手中
原有兵器。

現藏中國國家博物館。

彩繪陶侍俑

北魏

河南洛陽市盤龍冢村元邵墓出土。

高17.7厘米。

頭戴小冠，上衣下褲，穿着完全模仿南方漢族官員。

現藏中國國家博物館。

彩繪陶籠冠騎馬俑

北魏

河南洛陽市盤龍冢村元邵墓出土。

高23.8、長23厘米。

俑頭戴籠冠。身穿寬袖短袍，下着縛袴。馬
背有鞍具和障泥。

現藏河南省洛陽博物館。

彩繪陶騎馬俑

北魏

山西大同市水泊寺鄉曹夫樓村宋紹祖墓出
土。

高31.8、長31厘米。

武士頭戴鷄冠帽，馬身塗硃。

現藏山西省考古研究所。

陶武士俑

北魏

山西大同市石家寨村司馬金龍墓出土。

高21.4厘米。

俑戴尖錐形盔帽，穿圓領窄袖長衣，上繪白色寬條，腰束紅色腰帶。

現藏山西省大同市博物館。

彩繪陶挂弓武士俑

北魏

陝西西安市草廠坡出土。

高37.5厘米。

頭戴冠，雙手攏于胸前，左挂弓，右挂箭盒。

現藏陝西歷史博物館。

陶騎馬吹角俑

北魏

陝西西安市草廠坡出土。

高39、馬長36厘米。

騎俑頭戴折沿氈帽，上穿貼身緊袖衣，下著長褲，足蹬靴，雙手執號角，作吹奏狀。

現藏陝西歷史博物館。

彩繪陶女樂俑

北魏

陝西西安市草廠坡出土。

彈琴俑高22.5、歌唱俑高24厘米。

三件俑髮式相同，均在頭頂盤扎繫結後下垂。身着交領長袍，腰束帶。坐姿，一歌者正和着樂器的演奏而高歌。

現藏中國國家博物館。

陶騎馬武士俑

北魏
陝西西安市草廠坡出土。
高38厘米。
武士和馬均身披鎧甲，武士右手似握兵器，左手控
繮繩。
現藏中國國家博物館。

陶武士俑

北魏

內蒙古呼和浩特市大學路出土。

高43.5厘米。

二件。頭戴尖頂護耳兜鍪，身穿半臂鎧甲，下着褲，腳蹬靴。雙手舉起。

現藏內蒙古博物院。

陶馬俑

北魏

河北景縣封氏墓出土。

高31.3厘米。

馬挺胸竪耳，項挂彩飾，身披鞍韉，作低頭嘶鳴狀。

現藏中國國家博物館。

陶馬

北魏

河南洛陽市盤龍冢村元邵墓出土。

高24.9、長24.2厘米。

馬胸前有帶，上綴鈴，尾套鞧帶，

鞍下挂寬大障泥。

現藏河南省洛陽博物館。

彩繪陶馬

北魏

河南偃師市南蔡莊鄉出土。

殘高14.2、長22.8厘米。

項帶鑾鈴和纓飾，浮雕脖罩，身披鞍韂。

現藏河南省洛陽市文物工作隊。

醬黑釉陶馬

北魏
山西大同市石家寨村司馬金龍墓出土。
高39、長27厘米。
三足着地，一足前舉，作嘶鳴狀。
現藏山西省大同市博物館。

彩繪陶牛

北魏
山西大同市水泊寺鄉曹夫樓村宋紹祖墓出土。
高20.5、長32.6厘米。
牛身塗朱紅色，并用黑綫勾畫小方格。
現藏山西省考古研究所。

彩繪陶鎮墓獸 （右圖）
北魏
河南洛陽市盤龍冢村元邵墓出土。
高25.5厘米。
面似狗，頭長角，張口吐舌，肩生雙翼。
現藏中國國家博物館。

陶鎮墓獸
北魏
河南洛陽市盤龍冢村元邵墓出土。
高25.5厘米。
人首獸身，面目猙獰，頭生獨角，背脊竪鬃毛三撮。
現藏河南省洛陽博物館。

石浮雕銜珠孔雀

北魏

山西大同市永固陵出土。

孔雀浮雕于墓室過道石券門門柱，銜珠回首，立于藤座之上。

現藏山西省大同市博物館。

石浮雕捧蓮蕾童子

北魏

山西大同市永固陵出土。

童子浮雕于墓室過道石券門門楣下端。

現藏山西省大同市博物館。

三國至南北朝（公元二二〇年至公元五八九年）

石雕奏樂天人龍虎蓮花柱礎

北魏

山西大同市石家寨村司馬金龍墓出土。

高15.6、邊長32厘米。

方形底座，四面淺浮雕天人和忍冬圖案。座上部爲圓形，頂部爲蓮花紋，蓮花下部爲四隻互相交錯的龍和虎。四角爲四位童子奏樂天人，分別作擊鼓、吹觱篥、彈琵琶和舞蹈狀。中心有柱孔貫通上下。

現藏山西博物院。

石雕龍虎蓮花忍冬柱礎（上圖）

北魏

山西大同市石家寨村司馬金龍墓出土。

高15.6、邊長32厘米。

方形底座，四面飾忍冬紋。座上部爲圓形，頂部爲蓮花紋，蓮花下部爲四隻交錯的龍和虎。中心有柱孔貫通上下。

現藏山西省大同市博物館。

石硯

北魏

山西大同市出土。

長21.6、寬21.6、高9.1厘米。

正方形，硯心兩側各有一耳杯形水池和方形筆舔，兩邊有鳥獸作飲水狀。周邊雕人物圖案四組，分別爲騎獸、角抵、舞蹈和沐猴。

現藏山西省大同市博物館。

彩繪陶武士俑

東魏

河北磁縣孟莊村元良墓出土。

高49厘米。

武士頭戴兜鍪，身着鎧甲。左手按盾，盾中間爲一獅面，上下各有二身人物，右手握拳，原應持兵器。

現藏河北省磁縣文物保管所。

彩繪陶武士俑

東魏

河北磁縣大冢營村茹茹公主墓出土。

高43厘米。

武士頭戴兜鍪，身着鎧甲。左手按獅面盾，右手握拳，原應持兵器。

現藏河北省磁縣文物保管所。

彩繪陶馬

東魏

河北磁縣大冢營村茹茹公主墓出土。

高30厘米。

馬身裝飾華麗，鑾鈴、瓔珞、鞍橋和障泥俱備。

現藏河北省磁縣文物保管所。

彩繪陶駱駝
東魏
河北磁縣大冢營村茹茹公主墓出土。
高25厘米。
駱駝左前腿跪地，右前腿蹬地。身上馱帳具、
垂囊、酒壺和獵物大雁。
現藏河北省磁縣文物保管所。

彩繪陶鎮墓獸
東魏
河北磁縣大冢營村茹茹公主墓出土。
高33厘米。
人首獸身，面相豐圓，高鼻大耳，前肢直立，
後肢蹲踞。
現藏河北省邯鄲市博物館。

石雕立獸

西魏

陝西富平縣西魏文帝永陵前發現。

高89、身長235厘米。

昂首站立，張口露舌，軀體渾圓。

現藏陝西省西安碑林博物館。

瓷人面鎮墓獸

西魏

陝西漢中市崔家營西魏墓出土。

高38厘米。

人面，獸身，高鼻，大眼，張口露齒，大耳。前肢直
立，後腿蹲踞，坐于長方形底板上。

現藏陝西歷史博物館。

彩繪陶文吏俑

北齊

河北磁縣灣漳村北朝墓出土。

高142.5厘米。

頭戴冠，身着廣袖衫，下身穿褲，腳穿翻頭鞋。雙手隱于袖而拱于胸前。

現藏中國社會科學院考古研究所。

彩繪陶按盾武士俑

北齊

河北磁縣灣漳村北朝墓出土。

高47.5厘米。

頭戴盔，身披鎧甲。左手按盾，右手握拳，原應持有武器。周身彩繪貼金。

現藏中國社會科學院考古研究所。

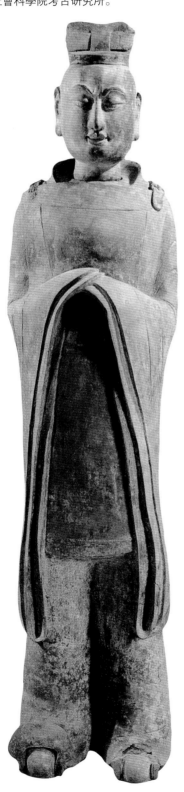

彩繪陶甲騎具裝俑

北齊
河北磁縣灣漳村北朝墓出土。
高34厘米。
騎俑和戰馬均披鎧甲。
現藏中國社會科學院考古研究所。

彩繪陶踞坐俑
北齊
河北磁縣灣漳村北朝墓出土。
高17厘米。
頭戴冠，身着交領廣袖長袍，腰束帶。
現藏中國社會科學院考古研究所。

彩繪陶舞蹈俑
北齊
河北磁縣灣漳村北朝墓出土。
高28厘米。
頭戴高冠，身着廣袖交領衫，雙臂揮動作
舞蹈狀。
現藏中國社會科學院考古研究所。

陶按盾武士俑

北齊

河北平山縣上三汲村崔昂墓出土。

高67厘米。

戴盔披甲，肩有披膊，腰束帶，足蹬靴。左手按虎頭盾，盾上部有兩個練拳人（或舞蹈者），下部有兩個身材矮小的獸首人身像。

現藏河北省博物館。

彩繪陶按盾武士俑

北齊

山東濟南市東八里窪出土。

高41厘米。

頭戴護耳盔，深目高鼻，身着魚鱗甲，腰束帶，足穿薄底靴。左手按盾，盾飾獸面紋。

現藏山東省文物考古研究所。

彩繪陶騎馬武士俑

北齊
河北磁縣東槐樹村高潤墓出土。
高29.3厘米。
俑頭戴風帽，身着圓領窄袖袍。
現藏河北省磁縣文物保管所。

彩繪陶騎馬武士俑（右圖）

北齊
山西太原市王郭村婁叡墓出土。
高32厘米。
俑頭戴風帽，身體前傾。
現藏山西省考古研究所。

彩繪陶女俑

北齊

山西太原市王郭村婁叡墓出土。

高26.8厘米。

頭戴黑色籠冠，身穿右衽大袖衫，杏黃色長裙，白褲，腰束白帶，足穿圓頭黑鞋。左手輕提裙裾。

現藏山西省考古研究所。

彩繪陶騎馬文吏俑

北齊

山西太原市王郭村婁叡墓出土。

高37.7厘米。

文吏戴小冠，穿寬袖短襦，外套朱紅裲襠甲。

現藏山西省考古研究所。

彩繪陶彈琵琶俑
北齊
山西壽陽縣厙狄回洛墓出土。
高28.2厘米。
俑頭戴小冠，身穿高領廣袖上衣，腰繫帶，下着長褲，
雙手抱琵琶。
現藏中國國家博物館。

彩繪陶舞蹈胡俑
北齊
山西壽陽縣賈家莊出土。
高25厘米。
人物頭裹巾，長髯，展袖而舞，雙手原應持棒狀物。
現藏山西省考古研究所。

陶馬

北齊

山西太原市王郭村婁叡墓出土。

高41厘米。

馬身較高，裝具齊全。

現藏山西省考古研究所。

彩繪陶馬
北齊
河北磁縣灣漳村出土。
高34厘米。
馬身轡、鈴、瓔珞和鞍橋俱備，臀部飾泡
釘。通體施紅彩。
現藏中國社會科學院考古研究所。

彩繪陶馬
北齊
河南安陽市洪河屯村范粹墓出土。
身長34.5厘米。
馬低首，戴瓔珞，置有鞍及轡具。全身施白粉，鞍有
彩繪。
現藏河南博物院。

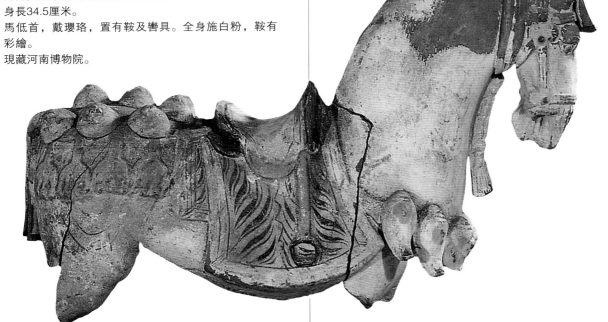

陶牛

北齊

山西太原市王郭村婁叡墓出土。

高36厘米。

陶牛仰首站立，眼視前方，兩角尖利，直向上衝。周身
肌肉隆起，後肢略彎曲，顯出驚愕的神態。

現藏山西省考古研究所。

彩繪陶牛車
北齊
山西太原市張肅俗墓出土。
牛高22.6、車高29.1厘米。
車軸和轅出土時已失，後補配。
現藏中國國家博物館。

彩繪陶駱駝
北齊
河北磁縣灣漳村出土。
高28.3厘米。
駱駝左前腿跪地，右前腿蹬地，兩後
腿直立。背負帳具、被褥、垂囊、挂
包和扁壺。
現藏中國社會科學院考古研究所。

彩繪陶駱駝

北齊

山西太原市張肅俗墓出土。

高29.8厘米。

昂首作嘶鳴狀，背馱絲綢等貨物。

現藏中國國家博物館。

三國至南北朝（公元二二○年至公元五八九年）

彩繪陶駱駝
北齊
山西太原市王郭村婁叡墓出土。
高42厘米。
作昂首嘶鳴狀，雙峰間背負裝物垂囊。
現藏山西省考古研究所。

彩繪陶鎮墓獸(右圖)
北齊
河北磁縣灣漳村北朝墓出土。
高47厘米。
人面獸身，頭生角，背部豎鬃毛，蹲坐于底板上。
現藏中國社會科學院考古研究所。

陶獅面鎮墓獸

北齊

河北磁縣東槐樹村高潤墓出土。

高50厘米。

俑蹲坐姿，頭頂衝天戟，背竪三根鬃毛，上尾捲。身上殘留彩繪痕迹。

現藏河北省磁縣文物保管所。

陶人面鎮墓獸

北齊

河北磁縣東槐樹村高潤墓出土。

高54厘米。

俑人面獸身，頭頂衝天戟，背竪鬃毛。

現藏河北省磁縣文物保管所。

彩繪陶人面鎮墓獸

北齊

河北磁縣東陳村堯峻墓出土。

高46厘米。

俑人面獸身，頭頂衝天戟，背豎三根鬃毛，捲尾。

現藏河北省磁縣文物保管所。

彩繪陶獅面鎮墓獸

北齊

河北磁縣東陳村堯峻墓出土。

高40厘米。

俑蹲坐姿，頭頂衝天戟，背豎三根鬃毛，捲尾。

現藏河北省磁縣文物保管所。

彩繪陶鎮墓俑

北齊
山西太原市王郭村婁叡墓出土。
高50.2厘米。
人面獸身，戴黑盔，背豎九撮鬃毛。
現藏山西省考古研究所。

陶鎮墓神獸

北齊
山西太原市王郭村婁叡墓出土。
高38厘米。
虎首，獨角已殘，虎爪，昂首蹲坐于長方形底板上。
現藏山西省考古研究所。

彩繪陶騎馬武士俑

北周

陝西西安市咸陽國際機場宇文儉墓出土。

高24.4厘米。

武士頭戴兜鍪，兩側有護耳。身着紅衣白甲，有護肩，腰束帶，下着紅褲，足穿黑靴。馬身披挂鎧甲，頭部有軟甲保護。

現藏陝西省考古研究院。

彩繪陶甲馬騎俑

北周

陝西咸陽市北周武帝孝陵出土。

高21.5厘米。

武士頭戴兜鍪，身着披膊、筒袖鎧、蔽膝，脚蹬烏靴。馬頭護獨角面簾，身披鎧甲，紅色護頸及護臀，馬腿及尾塗成土紅色。

現藏陝西省考古研究院。

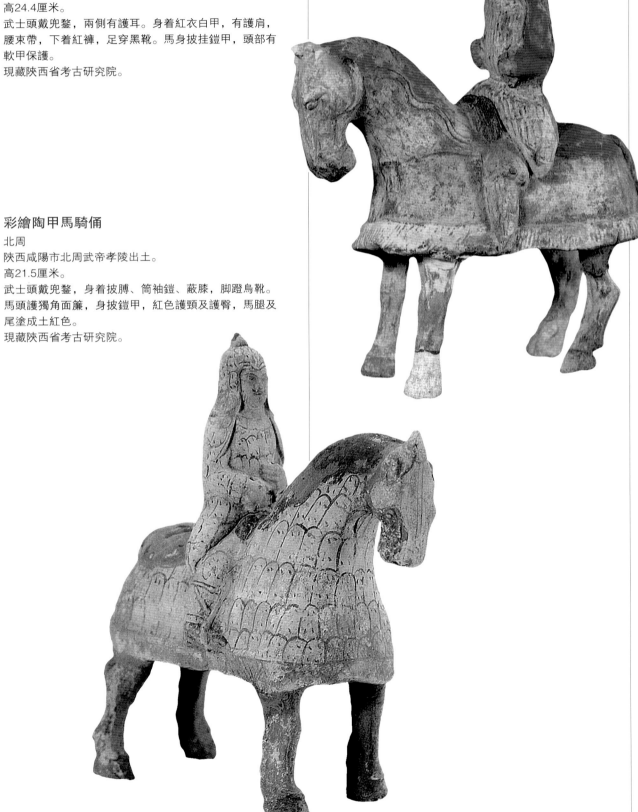

彩繪陶風帽俑

北周

陝西咸陽市北周武帝孝陵出土。

高16.4厘米。

俑頭戴黑色風帽，內穿圓領白長袍，外罩披風，腰繫黑帶，腳蹬烏履。面塗粉彩，濃墨勾勒眉眼鬍鬚，口唇塗紅。

現藏陝西省考古研究院。

彩繪陶武士俑

北周

寧夏固原市開城鎮王澇壩村宇文猛墓出土。

高23.9厘米。

頭戴尖錐頂兜鍪，中起脊棱，前有衝角，兩側有護耳，盆領。身着明光鎧甲。肩有披膊，下着裙，足蹬靴。

現藏寧夏回族自治區固原博物館。

三
國
至
南
北
朝
（
公
元
二
二
〇
年
至
公
元
五
八
九
年
）

彩繪陶甲馬騎俑

北周

寧夏固原市清河鎮深溝村李賢夫婦合
葬墓出土。

高17.5厘米。

頭戴尖頂兜鍪，身着鎧甲，外披黑色
風衣。馬身披鎧甲，以墨綫勾勒，背
上有鞍，低頭站立。

現藏寧夏回族自治區固原博物館。

彩繪陶鎮墓獸

北周

陝西咸陽市北周武帝孝陵出土。

高18.6厘米。

大眼闊鼻，巨口咧開，獠牙外露，伏臥于地。

現藏陝西省考古研究院。

陶駱駝
北周
寧夏固原市清河鎮深溝村李賢夫婦合葬墓出土。
高18.4厘米。
空心。雙峰，峰間馱物。
現藏寧夏回族自治區固原博物館。

陶臥羊
北朝
山西太原市北堰村出土。
高130厘米。
羊引頸跪臥，雙角捲曲。
現藏山西博物院。

三國至南北朝（公元二二〇年至公元五八九年）

銅牛車

北朝

高23.5、長42厘米。

黃牛頭上套有絡具，項上有軛，軛兩側各有半圓形環扣
接車轅。長方形車廂，後開門，前廂板鑄出直櫺窗格。
廂頂覆篷蓋。

現藏廣東省深圳博物館。

木雕連體雙鳥

北朝

新疆洛浦縣山普拉古墓群出土。

高7.8、長13厘米。

兩鳥相背，連體，頭後長長翎，長羽，勾狀嘴。左側鳥
頭頂長冠。

現藏新疆文物考古研究所。

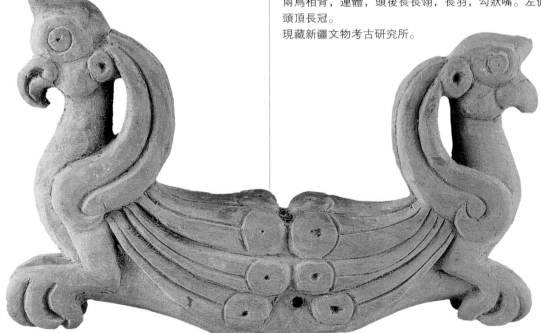